CU00406202

Le
Livre
de
Poche
Jeunesse

Le secret
de la cathédrale

Béatrice Nicodème

Après avoir longtemps été maquettiste dans la presse pour la jeunesse, Béatrice Nicodème se consacre totalement à l'écriture depuis maintenant une quinzaine d'années. Elle a publié de nombreux romans policiers et historiques pour la jeunesse et pour adultes.

Du même auteur :

- La malédiction de la Sainte-Chapelle - Tome 2
- Le trésor de Salisbury - Tome 3
- La rue des mystères
- Un détective de mauvais poil
- Y a-t-il un assassin dans l'immeuble ?
- Les poisons de Rome
- Ami, entends-tu... J'avais treize ans, sous l'Occupation
- Wiggins - Un rival pour Sherlock Holmes
- Wiggins et la nuit de l'éclipse
- Défi à Sherlock Holmes (collection Hachette Romans)

BÉATRICE NICODÈME

Le secret de la cathédrale

© Hachette Livre, 2006.

1

Printemps 1242

— C'est encore loin ? demanda Colin.

— Une lieue[1], pas davantage, répondit le jeune homme qui cheminait près de lui.

— J'ai déjà entendu ça, bougonna Colin.

Depuis le début de l'après-midi, l'autre lui avait assuré une bonne dizaine de fois qu'ils n'avaient plus qu'une lieue à parcourir. À bout de forces, le jeune garçon se sentait à peu près aussi à son aise que s'il avait marché pieds nus sur des braises. Les épaules sciées par les courroies de son sac, les plantes des pieds meurtries, il peinait à accorder son pas à celui de son

_____

1. Environ 4 km.

compagnon de route, une espèce de grand dépendeur d'andouilles qui ne cessait de jacasser.

Colin avait quitté Chartres neuf jours auparavant dans la carriole d'un marchand de cuir. Le soir, ils avaient fait halte à Dreux, dans une hostellerie dont le tenancier semblait se livrer à l'élevage intensif des punaises et des araignées. Colin n'avait pas fermé l'œil de la nuit, et, au matin, le marchand lui avait annoncé la bonne nouvelle :

— Mon voyage s'arrête ici. Tu trouveras bien quelqu'un pour continuer la route.

— Mais vous aviez promis de m'emmener jusqu'à Beauvais ! avait protesté Colin.

— Promis, tout de suite les grands mots ! Ta mère ne t'aurait pas confié à moi si elle avait su que je te lâcherais à Dreux. Et tu voulais à tout prix partir, pas vrai ?

Il avait tout de même consenti à mettre Colin sur la route de Beauvais.

— Tu passeras la Seine à Mantes, puis tu traverseras plusieurs forêts et tu monteras vers le nord en obliquant un peu vers l'est. J'ai bien dit *un peu*, ou tu te retrouverais à Senlis. Tu n'auras qu'à demander ta route, tu as une langue !

Avec pareilles explications, Colin était bien avancé ! Pour les forêts, il n'avait que l'embarras du choix, elles moutonnaient à l'horizon vers les quatre points cardinaux. Quant à monter vers le nord tout en obliquant *un peu* vers l'est, on ne pouvait être plus précis !

Il avait parcouru plus de dix lieues en deux jours,

tremblant à chaque instant de rencontrer des brigands, et avait atteint Mantes au soir du troisième, le dos tout endolori de sa nuit passée à l'abri d'un arbre creux.

La chance lui avait alors souri sous la forme d'un couple de jongleurs qui l'avait pris sous sa protection. En trois jours ils avaient progressé de près de vingt lieues, entrecoupées de haltes sur les places des villages. La femme jouait du tambourin tandis que l'homme dansait en se contorsionnant en tous sens, aussi souple qu'une flamme agitée par le vent. Colin se glissait dans la foule, récoltait des pièces dans une vieille bourse de cuir, et le soir tous trois se régalaient d'oublies[1] et de fruits achetés dans la rue.

— Si tu restais avec nous au lieu de continuer jusqu'à Amiens ? proposa l'homme lorsqu'ils arrivèrent en vue de Beauvais. Ici aussi on construit une cathédrale, on dit qu'elle s'élèvera plus haut que toutes les autres. Nulle part tu n'apprendras mieux le métier.

— C'est à Amiens que je veux aller, répliqua Colin.

— Quelle tête de mule tu fais !

— Laisse-le, intervint la femme. Tu ne vois donc pas qu'il a une idée derrière la tête ?

Ils passèrent la nuit dans une hostellerie, non loin de la cathédrale en construction.

— Je suis sûr que tu trouverais à travailler ici, insista le jongleur le lendemain matin.

---

1. Pâtisserie en forme de cornet.

— Laisse-le donc, le rembarra encore sa compagne. Il a ses raisons et il n'en démordra pas.

Oui, Colin avait ses raisons, des raisons assez puissantes pour lui avoir insufflé le courage, à douze ans, de quitter sa mère et d'affronter l'obscurité de la forêt et les périls des chemins sans savoir ce qui l'attendait au bout de la route. Du jour où il avait appris la mort de son père, il avait décidé de découvrir les lieux où celui-ci avait vécu. Il caressait le rêve de retrouver quelque objet lui ayant appartenu, une sorte de talisman qu'on lui remettrait solennellement et qui transformerait toute son existence. Mais il commençait à penser qu'il s'était lancé dans une folle aventure. Que ferait-il, seul et sans argent, si on ne voulait pas l'embaucher comme apprenti ?

Comme pour confirmer ses craintes, la suite du voyage tourna au cauchemar. Il avait à peine franchi le mur d'enceinte de Beauvais qu'une pluie diluvienne se mit à tomber. Le temps qu'il trouve à s'abriter, il était trempé comme une soupe. Plutôt que rester immobile à attraper la mort, il préféra continuer à marcher. À un moment, il crut prendre un raccourci mais, privé du repère du soleil, il fut incapable de rejoindre la route. Comme il était le seul à être assez fou pour rester dehors sous des torrents de pluie, il ne trouva personne pour lui indiquer la bonne direction. À sexte[1], lorsque la pluie cessa, il était totalement égaré et tremblait de fièvre.

_____

1. Aux environs de midi.

C'est alors qu'une voix résonnant tout contre son oreille lui fit pousser un cri d'effroi.

— Où vas-tu comme ça, mon gaillard ?

Une longue silhouette montée sur des jambes aussi maigres que des pattes de sauterelle avait surgi à côté de lui. Colin expliqua qu'il se rendait à Amiens, et le jeune homme lui proposa aussitôt de faire route ensemble. Lui-même se rendait à Arras où il comptait travailler comme tisserand dans la fabrique de son beau-frère.

Il n'était pas méchant, mais il ne brillait pas par l'intelligence et encore moins par le sens de l'orientation. À la tombée de la nuit, après des heures d'une marche éreintante, les deux voyageurs arrivèrent dans un gros bourg portant le drôle de nom de Quinquempoix. Ils se régalèrent dans une rôtisserie de chevreau et d'oignons sur de grandes tranches de pain brûlé. La dernière bouchée avalée, le compagnon de Colin annonça d'un air désolé qu'on lui avait volé sa bourse et qu'il ne pouvait payer sa part, après quoi le tenancier apprit aux deux voyageurs qu'ils se trouvaient beaucoup plus près de Compiègne que d'Amiens.

— Allons à Compiègne ! suggéra alors le jeune homme. J'y ai un cousin chanoine qui pourra nous loger.

Ce fut pour Colin la confirmation de ses soupçons. Son compagnon allait où le vent le poussait, s'appelait selon son humeur Nestor, Roland ou Clotaire, et s'inventait une nouvelle vie aussi souvent que sonnait l'heure. Sans un sou en poche, se nourrissant de fruits volés dans les vergers ou profitant de la générosité d'autrui, il parcourait la campagne à grandes enjambées d'un bout à l'autre de l'année sans cesser de jacasser, l'air aussi affairé que s'il était attendu par le roi en personne.

— Je vais à Amiens et nulle part ailleurs, répliqua fermement Colin, espérant que le grand échalas renoncerait à le suivre.

— Alors va pour Amiens ! répondit celui-ci. Mon frère de lait y est apothicaire, tu verras, mon gaillard, la belle maison qu'il possède !

Ils mirent encore deux jours pour arriver à destination. Deux jours durant lesquels ils ne cessèrent de s'égarer. Tout au long de la première journée, le vagabond affirma à quinze reprises qu'ils n'avaient plus que trois lieues à parcourir. Le lendemain il n'en restait soi-disant plus qu'« une, pas davantage », qui les fit trotter de tierce[1] à vêpres[2].

Aussitôt passé les portes de la ville, le compagnon de Colin l'abandonna précipitamment en bredouillant que son cousin l'apothicaire n'aimait pas trop les inconnus.

— Je vais frapper chez lui et lui parler de toi, puis je reviendrai te chercher.

---

1. Vers 9 heures du matin.
2. Aux alentours de 17 heures.

Bien entendu il ne revint jamais, et Colin se dirigea vers la cathédrale, un peu inquiet de se retrouver seul, mais soulagé d'être enfin débarrassé de ce drôle de personnage qui mentait comme un arracheur de dents.

2

Plus on approchait du cœur de la ville, plus on était abasourdi par les claquements des sabots, le fracas des charrettes qui transportaient toutes sortes de marchandises, les cris des marchands ambulants apostrophant les passants, les hurlements du crieur public annonçant un mariage ou la mise en vente d'une maison.

La cathédrale n'était pas visible depuis les rues étroites enserrées entre les maisons de bois toutes de guingois, mais Colin eut l'idée de suivre une procession de fardiers[1] qui arrivaient par la rue des Sergents,

1. Voitures utilisées pour transporter des charges lourdes.

chargés d'énormes blocs de pierre. Environné de poussière, le cortège tourna à droite dans la rue du Beau-Puits, et en quelques enjambées Colin se trouva au pied de l'immense vaisseau de pierre.

Il avait beau être accoutumé à la splendeur de Chartres, il fut paralysé par l'émotion. Son père avait palpé ces pierres de ses mains, escaladé chaque matin ces immenses échafaudages de bois et de cordes, tremblé peut-être lorsque le vent qui s'y engouffrait les secouait comme les haubans d'un navire. Parmi les anges et les patriarches qui ornaient les portails, certains avaient été façonnés par sa propre main. Livreraient-ils à Colin le secret de ce maître tailleur de pierre qu'il avait à peine connu ?

Il restait encore près de deux heures avant l'angélus du soir. Les deux tours en construction étaient pareilles à des fourmilières géantes, parcourues par de petites silhouettes qui s'activaient en tous sens. Des cris résonnaient dans le ciel, les échos des coups de marteau répondaient à ceux des rires et des chansons, des invectives et des ordres lancés dans toutes les langues.

Colin s'approcha de l'homme qui conduisait le premier chariot. Il s'était arrêté à quelques pas du portail et jurait copieusement parce que les manœuvres tardaient à venir décharger les blocs.

— Savez-vous, messire, où je pourrais trouver le maître tailleur de pierre ?

Le bouvier[1] toisa Colin.

— Qu'est-ce que tu lui veux, à maître Béranger ? Et comment veux-tu que je sache où il est ? Va traîner près de la loge, il y passera forcément à un moment ou à un autre. Aujourd'hui ou demain.

— Il ressemble à quoi ?

— À un maître tailleur de pierre, pardi ! Des bras aussi gros que des gigots, et toujours en train de râler après ses apprentis. Fort comme un sanglier et gueulard comme un vieux chien.

— Tout comme vous, alors, lança Colin en détalant assez vite pour ne pas tâter du poing du bonhomme.

Pour avoir tourné des journées entières aux abords de Notre-Dame de Chartres, il supposa que la loge était située juste à côté du monument. Il la trouva en effet dans la rue Notre-Dame, adossée contre la façade sud. C'était une vaste construction de bois dont le toit avait été recouvert de peaux de cuir pour la protéger des intempéries. Elle servait à la fois de réfectoire, de magasin pour les outils et de lieu de réunions. Les apprentis y apprenaient les rudiments du métier et, aux jours les plus froids de l'hiver, les tailleurs de pierre y préparaient le travail pour les maçons qui revenaient sur le chantier dès que les jours allongeaient.

Colin y risqua une tête et la trouva déserte. Malgré la faim qui lui rongeait l'estomac et la fatigue qui lui sciait les jambes, il s'enquit de tous côtés de maître

---

1. Homme qui conduit les bœufs.

Béranger, puisque tel était le nom de l'homme qu'il cherchait.

Ce fut finalement un jeune valet mortellier[1] qui le renseigna. Il était en train de déverser de l'eau dans une auge remplie de sable et de chaux.

— Je viens de l'apercevoir qui grimpait à la tour nord, dit-il en se redressant pour dévisager Colin. Tu n'es pas du chantier ?

— Ni du chantier ni de la ville, admit Colin.

— Je m'appelle Clément, dit le jeune garçon. J'espère qu'on aura l'occasion de faire connaissance !

— Peut-être, si maître Béranger veut bien m'embaucher. Moi, c'est Colin.

Il se dirigea vers la tour nord, hésita un instant au pied de l'escalier en spirale qui menait aux échafaudages, puis, après avoir pris une ample respiration, s'efforça de monter tranquillement, comme un homme sûr de lui.

Parvenu au niveau du triforium[2], il repéra sans peine le maître tailleur. Comme l'avait annoncé le bouvier, il était de très haute taille et ses bras étaient aussi gros que les cuisses d'un lutteur. Ses sourcils broussailleux formaient les deux côtés d'un triangle tandis qu'il admonestait un jeune homme qui ne pipait mot.

Colin attendit prudemment qu'il en ait fini, puis s'avança pour demander s'il y avait du travail pour un apprenti.

---

1. Ouvrier chargé de préparer le mortier.
2. Galerie située au-dessus des grandes arcades et qui s'étend sur le pourtour de la nef.

Maître Béranger partit d'un grand rire.

— Maigrichon comme tu es, tu as l'ambition de travailler la pierre ? Tu ne manques pas d'air !

Le regardant droit dans les yeux, Colin se rappela à point nommé ce que sa mère disait de lui :

— Je ne suis pas bien gras, mais c'est rien que du nerf et des muscles !

Le maître redoubla d'hilarité, il sembla à Colin que son rire s'envolait sur les ailes du vent et que toute la ville allait l'entendre.

— On est assez nombreux, conclut le colosse. Pas plus tard qu'avant-hier j'ai encore embauché trois Génois par pure bonté d'âme. De grands gaillards qui te renverseraient d'une pichenette ! Désolé, mon ami, il te faudra tenter ta chance ailleurs.

— Je viens du chantier de Chartres, mentit Colin.

— Que n'y es-tu resté ! s'esclaffa Béranger.

— J'avais envie de voir du pays, de découvrir d'autres façons de travailler.

— Alors va à Strasbourg, monte vers le nord ou descends en Espagne. Ici, il n'y a pas d'ouvrage pour toi.

Colin vit en un instant s'écrouler tous ses espoirs. Comment avait-il pu être assez naïf pour croire qu'on l'accueillerait à bras ouverts ? Et pourquoi sa mère avait-elle fini par accepter de le laisser partir ? Il se trouvait maintenant à des lieues de chez lui, avec quelques pièces en poche, ne sachant où dormir ni vers qui se tourner. Sans doute son père avait-il eu des amis à Amiens, mais qui étaient-ils ? Où les chercher ?

— Il dit qu'il a travaillé à Chartres ? demanda soudain une voix.

Un homme de taille moyenne avait surgi de derrière un pilier.

— Il le prétend, répondit maître Béranger.

— Alors tu as dû connaître Aurèle Le Blond, dit le nouvel arrivant en se tournant vers Colin. J'espère que tous les Chartrains n'ont pas son mauvais caractère. Quel fier, celui-là !

Colin sentit le sang lui monter au front. Aurèle Le Blond, son père, n'était pas fier, il était noble et droit, il aimait la beauté et rêvait de perfection. Était-ce cela, avoir mauvais caractère ? Il faillit protester, puis jugea que cela n'arrangerait guère ses affaires. Mieux valait laisser ignorer qu'il était le fils d'Aurèle, quitte à mentir.

— Je ne suis pas originaire de Chartres, rectifia-t-il. J'y ai travaillé quelques mois, c'est tout.

Le nouveau venu lui lança un regard malicieux, puis se tourna vers maître Béranger. Tout en parlant, il ne cessait d'agiter ses mains en tous sens, des mains longues et souples qui fascinaient Colin.

— Le jeune Barthélemy s'est fait mordre par un chien au bord de la rivière. On lui a appliqué un fer rouge pour le cas où la bête aurait été enragée, mais il n'est pas près de revenir au chantier. On pourrait prendre celui-là, au moins pendant quelques jours.

Maître Béranger réfléchit, la mine toujours aussi rébarbative, puis haussa les épaules.

— Si tu crois vraiment que ce freluquet peut se

rendre utile... (Il se tourna vers Colin pour lui présenter l'homme qui avait intercédé en sa faveur.) Maurin de Livry, mon appareilleur. Il transmet mes consignes, surveille le travail, guide compagnons [1] et apprentis, bref, il sert d'intermédiaire entre les hommes du chantier et moi.

— Dit autrement, précisa Maurin en riant, je reçois des coups de tous les côtés à la fois. Heureusement, j'ai le cuir solide ! Comment t'appelles-tu, mon gars ?

— Colin. Par chez moi, on m'appelle Colin Le Joyeux.

— Alors on devrait pouvoir s'entendre, répliqua Maurin. Tope là !

Ils topèrent, Maurin cracha par terre, et l'affaire fut conclue en dépit des sourcils toujours aussi courroucés de maître Béranger.

— Sais-tu où loger ? demanda l'appareilleur lorsqu'ils atteignirent le parvis.

— Pas encore, mais je vais m'en débrouiller, répliqua Colin d'un ton très assuré.

Cette fois encore, Maurin le tira d'affaire.

— Je crois bien qu'il y a de la place chez Clovis le teinturier. Sa Cunégonde est impossible et leur fille t'en fera voir de toutes les couleurs, mais tu seras avec Odon, un autre apprenti. Et ce n'est pas loin d'ici, dans la rue du Beffroy près de la place du Marché. Je

---

1. Sur les chantiers, chaque corporation (ou corps de métier) était dirigée par un maître qui avait sous ses ordres des compagnons et des apprentis.

t'y conduis, tu poses ton baluchon, et tu reviens à la loge pour le souper quand l'angélus aura sonné.

Comme toutes les venelles environnantes, la rue du Beffroy était sombre et étroite. L'hiver, se dit Colin, on devait y patauger dans une boue répugnante. Mais on était au mois de mars, et pour l'heure il ne songeait qu'à la bonne nuit qui l'attendait.

Deux maisons avant celle du teinturier, le contenu d'un pot de chambre vidé par quelqu'un qui avait omis de crier « Gare à l'eau ! » se déversa sur sa tête depuis une fenêtre. Dans l'état d'épuisement où il était, l'effet de surprise et l'odeur pestilentielle lui firent tourner la tête. Avant qu'il ait pu trouver un mur contre lequel s'appuyer, il s'écroula sur la chaussée, sans connaissance.

3

— Alors tu n'es pas complètement mort ?

Colin entrouvrit les yeux, aperçut une jupe et des mains qui tenaient une écuelle sentant bon le chou. Il se redressa lentement et appuya son dos contre le mur.

— On dirait que non, répondit-il à la jeune fille qui était debout près du lit.

— Quand Maurin de Livry t'a porté jusqu'ici, tu ressemblais à un vieux chiffon ramassé dans la rigole. (Elle fronça le nez en plissant les yeux.) Tu ne sens pas encore la rose, mais tu pues un peu moins.

— Merci, vous êtes trop bonne, damoiselle, répliqua-t-il avec ironie.

Elle éclata d'un rire moqueur.

— Tu peux me tutoyer, proposa-t-elle en lui tendant l'écuelle. Je m'appelle Colombe, j'ai quinze ans et je n'en fais jamais qu'à ma tête. Il paraît que tu vas travailler à la cathédrale ? Tu ferais mieux d'avaler ta soupe avant qu'elle soit froide. Maurin nous a dit que tu venais de Chartres. Quel âge as-tu ? Est-ce que tu joues bien aux osselets ? Odon est très fort. (Elle montra du doigt l'autre paillasse pour l'instant inoccupée.) Odon, c'est le garçon qui dort ici. Il sait tout faire, mais il ne faut pas le lui dire. D'ailleurs je le déteste. Elle n'est pas bonne, ma soupe ? Pourquoi est-ce que tu ne la manges pas ? Et pourquoi est-ce que tu ne réponds pas à mes questions ?

Colin haussa les épaules.

— Si tu m'en laissais le temps...

— Tu me trouves trop bavarde ? C'est aussi ce que disent mes parents. (Elle prit une voix criarde :) Tu causes beaucoup trop, ma petite, ça te jouera des tours.

Comme en écho, une voix perçante appela de l'étage en dessous :

— Colombe ! Colombe ! Au lieu de causer, tu ferais bien de descendre m'aider !

— Tu vois ! triompha la jeune fille. Mais je vais rester encore un peu avec toi rien que pour ennuyer ma mère. Je t'ai prévenu : je n'en fais qu'à ma tête.

Elle continua à harceler Colin de questions, à exiger des réponses tout en lui reprochant de ne pas avaler sa soupe assez vite, et à hausser les épaules chaque fois que sa mère renouvelait ses appels de plus en plus irrités. Avec ses longs cheveux châtain doré, ses yeux couleur d'ambre et sa façon de froncer le nez comme un chat goûtant un nouveau mets, Colin la trouvait assez mignonne. Si seulement elle avait pu cesser de babiller !

Elle attendit que Colin ait terminé sa soupe pour se décider enfin à le quitter. À en juger par la façon dont la lumière pénétrait dans la petite pièce à travers le papier huilé, le jeune garçon estima que l'angélus avait sonné depuis longtemps. Il ferma les yeux un instant, essayant de rassembler ses forces pour se lever et aller rejoindre les tailleurs de pierre à la loge. Mais, bercé par les deux voix qui se donnaient la réplique au rez-de-chaussée, il sombra de nouveau dans des rêves décousus qui lui firent parcourir des routes labyrinthiques et escalader des cathédrales s'élevant jusqu'au ciel.

Il était en train de faire une chute vertigineuse depuis les échafaudages lorsqu'une poigne énergique le rattrapa par les cheveux. Il poussa un cri, ouvrit les yeux, et se trouva nez à nez avec un gros visage ricanant éclairé par la lueur vacillante d'une chandelle.

— Alors c'est toi, le chétif qu'on a installé dans ma chambre ? Bienvenue en enfer, Chétif !

La cohabitation commençait plutôt mal. Colin comprit que, s'il ne mettait pas tout de suite le holà, l'autre lui en ferait voir de toutes les couleurs.

— Je suppose que tu es Odon. Je m'appelle Colin, et c'est comme cela que tu m'appelleras. Quant à l'enfer, ne t'inquiète pas pour moi, j'y suis souvent allé et j'en suis toujours ressorti vivant.

— Faut pas blasphémer, Chétif !

Odon se redressa et s'éloigna. Il posa la chandelle sur le sol, retira ses braies[1] et sa chainse[2] et se jeta sur sa paillasse. La vision de son énorme corps velu rappela à Colin le jour où il avait eu si peur, tout petit, lorsqu'il s'était trouvé à deux pas d'un ours qui dansait pesamment sur le parvis de la cathédrale. Puis son père l'avait juché sur ses épaules et cela avait suffi à le rassurer. Il devait avoir à peine trois ans, et il croyait qu'Aurèle serait toujours là pour le protéger de tous les dangers. Mais le tailleur de pierre avait eu un conflit avec le maître d'œuvre[3] de Chartres, il avait dû se rendre jusqu'à Amiens pour gagner de quoi faire vivre sa femme et son fils, et celui-ci ne l'avait revu que de loin en loin lorsque le chantier était fermé.

— Je me demande bien ce que tu es venu faire ici, reprit Odon. Crois-moi, après une saison tes petits os de moineau seront comme du pain sec : un croc-en-jambe et tu te briseras en mille morceaux ! Ici c'est l'enfer, je te dis ! Debout une heure avant prime[4], tu trimes jusqu'à l'angélus du soir. C'est pour les nouveaux que c'est le plus dur, parce qu'on leur réserve les corvées. Tu vas voir ce que c'est, de galoper d'un bout à l'autre du chantier en portant des hottes rem-

---

1. Caleçon long.
2. Tunique à manches, en toile ou en lin.
3. Architecte (ce mot n'existait pas au Moyen Âge).
4. Vers 7 heures du matin.

plies de sable ou de chaux qui pèsent aussi lourd qu'un cheval de trait !

— Maurin ne m'a pas embauché comme valet mais comme apprenti, répliqua Colin.

— C'est ce qu'il t'a laissé croire, sauf qu'il a déjà bien assez d'apprentis. Et puis même ! Tu sais que tu vas rester apprenti pendant au moins six ans ? Regarde : moi, j'ai dix-sept ans et ce n'est pas demain que je serai compagnon. C'est sûr que pour eux la vie est moins rude ! Un lit de planches, dans une vraie chambre et pas dans un placard, et en prime le droit de claquer la porte au nez de leur maître s'ils ne sont pas d'accord sur la paie. Nous, quand on part, c'est parce qu'on ne veut plus de nous ou parce que les caisses sont vides. Alors on n'a plus qu'à faire la route sans savoir quand on reverra la couleur d'un tranchoir[1].

— Je sais tout ça, marmonna Colin. Mais il faut bien débuter un jour. Maître Béranger lui-même a dû commencer comme apprenti. Et pareil pour le maître d'œuvre, il n'est pas né avec son métier dans la tête !

Odon poussa un rugissement de rire qui déclencha une pluie de coups contre une des cloisons du premier étage.

— Ne me dis pas que tu rêves de devenir maître d'œuvre, Chétif !

— Et pourquoi pas ? répliqua Colin.

---

1. Galette de blé noir sur laquelle on posait un morceau de viande, et qui servait d'assiette.

— Toi, prendre la place de Renaud de Cormont ? Parole, tu pètes plus haut que ton cul ! C'est les gants blancs, la canne et les parchemins qui te font rêver ? Mais à son âge, quand tu te seras exténué à tailler des pierres pendant des années, tu seras tout juste bon à servir de pitance aux vers de terre !

— Bonne nuit, Odon. Et je m'appelle Colin.

— C'est ça, Chétif, tu ferais bien de dormir un peu pour essayer de prendre des forces. Juste un conseil : tâche de ne pas être en retard demain matin. Maître Béranger déteste qu'on lui manque de respect. Pour ça, il n'est pas mieux que le précédent, l'Aurèle et ses grands airs. Ce qu'il pouvait être agaçant, celui-là, à vous voir sans vous regarder !

Colin s'efforça de ralentir sa respiration pour faire croire qu'il était déjà endormi.

— Et encore autre chose, enchaîna Odon. Ne va jamais sur le chantier la nuit, et ne t'avise pas d'entrer dans la chambre aux traits, ou tu es un homme mort.

Cela aussi, Colin l'avait entendu dire par son père. C'était dans la chambre aux traits, voisine de la loge, que le maître d'œuvre traçait les plans de la cathédrale. Ce lieu était aussi sacré qu'un tabernacle.

Colin ne se risquerait certes pas à braver l'interdiction. Mais un jour, plus tard, dans une autre ville, la chambre aux traits serait son domaine. Il l'avait juré à son père la dernière fois que celui-ci était revenu à Chartres.

D'ici là, une rude vie l'attendait et il ne pouvait

compter sur l'aide de personne. Sûrement pas, en tout cas, celle de cet insupportable Odon qui maintenant ronflait avec cœur.

4

La répartition des tâches eut lieu dès prime, lorsque tout le monde se rassembla sur le chantier. Du côté des tailleurs de pierre, Maurin de Livry désigna une douzaine d'hommes pour se rendre à la carrière. Ceux-ci se dirigèrent sans traîner vers les charrettes qui allaient les conduire dans la vallée de la Celle, riche en calcaire.

— Vous, vous travaillerez ici, annonça l'appareilleur à quelques autres parmi lesquels se trouvaient Colin et Odon.

— Tu as de la chance, marmonna ce dernier à son voisin de chambre. La carrière, c'est l'enfer !

Il lui expliqua que, depuis quelque temps, on dégrossissait les pierres sur place aussitôt qu'elles avaient été extraites, de façon à faciliter le transport en réduisant le poids des charrettes.

— Tu verrais, là-bas, les muids[1] de poussière qu'on avale ! Il faut hisser des blocs gros comme des maisons depuis le fond des trous, et une fois qu'on les a travaillés il faut encore les traîner jusqu'aux chariots qui les transportent jusqu'ici. Après quelques semaines de ce régime, tu craches du sable et tu pisses tout blanc !

— Cela, répliqua Colin, c'est le travail des carriers, pas des tailleurs de pierre.

Pris en flagrant délit de forfanterie, Odon ne perdit pas une once d'assurance.

— En principe, mais on est souvent obligés de mettre la main à la pâte. Tous des fainéants, les carriers !

Colin ne tarda pas à comprendre que les fainéants n'étaient peut-être pas ceux qu'on croyait. Lorsque Odon se décidait à manier le maillet, il le faisait à grand bruit et se félicitait ensuite à haute voix du résultat. Mais, dès que Maurin de Livry avait le dos tourné et qu'on savait maître Béranger occupé ailleurs, il s'adossait à son bloc et se frottait les mains en regardant les autres travailler.

Ce petit jeu enfantin ne pouvait d'ailleurs tromper personne, puisque les tailleurs de pierre étaient payés à la tâche, selon le nombre de blocs qu'ils avaient réalisés. Chacun d'entre eux choisissait un signe distinctif qu'il gravait dans la pierre une fois le travail ter-

---

1. Environ 13 litres.

miné. Il suffisait de les compter, à la fin de la semaine, pour déterminer combien de sous chacun devait toucher.

Après s'être assuré qu'aucun autre apprenti n'avait choisi ce signe, Colin décida de marquer son travail d'un [, plus facile à graver que le C arrondi de *Colin*.

— Tu as copié sur moi ! s'empressa de remarquer Odon. Moi, j'ai pris le carré, parce que graver un O prend presque autant de temps que tailler un bloc !

— Si je devais imiter quelqu'un, ce n'est sûrement pas toi qui me servirais de modèle, répliqua Colin.

— Jaloux ! siffla Odon. Tu es jaloux de mes muscles, Chétif !

— Mais pas de ta sottise, *Odieux* ! lança Colin.

L'autre en eut le sifflet coupé, on ne l'entendit plus jusqu'à l'angélus de midi.

Dès que les cloches tintèrent, les ouvriers se réunirent près de la loge et dressèrent les tables en posant des planches sur des pierres d'égale hauteur. L'arrivée des hommes du chapitre[1] apportant les victuailles déclencha des exclamations de satisfaction.

Colin prit soin de se placer le plus loin possible d'Odon. Il se trouva ainsi à côté de Clément, le jeune mortellier qui l'avait renseigné lorsqu'il cherchait maître Béranger.

— Pas trop dure, ta première matinée ? demanda celui-ci dès qu'on eut récité le bénédicité.

— J'ai les poignets à demi brisés et mes doigts res-

---

1. Assemblée des chanoines.

semblent à des châtaignes prêtes à éclater, avoua Colin.

— Quand ils auront tous saigné au moins une fois, tu seras un vrai apprenti !

Ce n'était pas Clément qui avait lancé cette boutade, mais l'appareilleur. Avant de commencer à manger, il passait de l'un à l'autre, tantôt sévère tantôt bonhomme.

— Je t'autorise à mollir un peu cet après-midi, ajouta-t-il à l'adresse de Colin. La semaine n'en est qu'à son début, et je n'ai pas envie que tu deviennes impotent. On a vraiment besoin de toi !

— On dirait qu'il t'apprécie, chuchota Clément un instant plus tard.

— Moi aussi, je l'admire beaucoup. Si tu l'entendais expliquer les tracés, si tu le voyais placer les molles[1] de façon qu'on comprenne sans peine à quel endroit de l'édifice sont destinées les pierres qu'on taille...

— Ce n'est pas lui qui les dessine, mais Renaud de Cormont ou maître Béranger.

— Peut-être, mais il connaît les lois de la géométrie, et quand un ouvrier a des difficultés il trouve toujours la solution. D'appareilleur à maître d'œuvre, il n'y a pas un si grand pas à franchir. Il faut juste assez de métier pour dessiner les plans d'une cathédrale, et

---

1. Plaques de bois ou de métal de faible épaisseur servant de patrons pour tailler les pierres ou découper moulures, colonnes, piliers...

un petit coup de pouce de Dieu qui incite le chapitre à choisir les tiens plutôt que ceux d'un autre.

Comme chaque fois qu'il se laissait absorber par son rêve d'enfant, Colin avait l'impression de s'envoler très loin de la réalité. Les voix de ses voisins de tablée lui parvenaient comme un vague écho, les hauts murs de la cathédrale qui montaient vers l'infini l'aspiraient vers le ciel, il oubliait sa faim. Lorsqu'il se rappela que sa soupe aux fèves était en train de refroidir, ce fut pour constater que Clément en avait avalé la moitié.

— Ça t'apprendra à rêver, plaisanta celui-ci. Mais comme je t'aime bien je vais te donner la moitié de mes oignons. Moi aussi, d'ailleurs, j'aime rêver. Seulement je ne suis pas comme toi, je n'ai pas la patience d'attendre. C'est aujourd'hui que je fais ce qui me plaît !

Colin disposa des oignons frits sur une épaisse tranche de pain de seigle.

— Tu aimes donc tant que ça charrier l'eau et le sable de l'aube à la tombée du jour ? demanda-t-il étonné.

— Pas trop, répliqua Clément à voix basse. Mais, par chance, je ne suis pas un gros dormeur. Alors c'est entre la tombée du jour et l'aube que je mène ma vraie vie. Je saute par la fenêtre et je vais me promener avec les chats et les souris. Tu ne peux pas savoir les sensations que ça procure de se balader seul dans des rues désertes. C'est comme si on était dans d'autres rues, dans une autre ville, c'est comme l'envers des choses, un autre monde... Tu comprends ce que je veux dire ?

— Il me semble. Mais tu n'es jamais tombé sur les sergents du guet ou sur une bande de malandrins[1] ?

— Je n'ai pas mon pareil pour les éviter. Et puis... Sais-tu garder les secrets ? Tu me promets de ne pas me trahir ?

— Promis !

— La nuit, je vais souvent sur le chantier. J'aime ça parce que c'est interdit, tu comprends ? Quand il ne fait pas trop froid, il m'arrive même d'y dormir un moment, pelotonné dans un coin de la nef, ou tout en haut sous les étoiles. Si tu savais comme c'est beau ! Quelquefois, le matin, je tire un ou deux pigeons et je les donne à un marchand ambulant en échange de quelques sous.

Colin n'en croyait pas ses oreilles.

— Tu n'as jamais été pris ?

Le regard de Clément brilla de malice.

— Une fois, l'été dernier, je m'étais installé au niveau de la galerie des Rois et j'ai dormi jusqu'à prime. J'ai été réveillé par les premiers coups de marteau ! Mais j'ai réussi à rejoindre les mortelliers sans rencontrer personne. Si un maître m'avait trouvé là-haut, il m'aurait chassé du chantier... Cette nuit-là est restée mon plus beau souvenir. Tu comprends ça ?

— Sûr que je comprends. Seulement je ne sais pas si j'aurai un jour ton audace.

---

1. Après le couvre-feu, seul le veilleur de nuit et les sergents du guet étaient autorisés à sortir dans les rues.

Clément éclata de rire, puis se pencha vers Colin pour lui murmurer à l'oreille :

— Ce n'est pas *un jour*, qu'il te faudra de l'audace, mais *une nuit*. Si tu veux qu'on soit vraiment amis, il faut me promettre de venir avec moi une prochaine fois.

Après s'être assuré que personne ne les écoutait, Colin répondit, très bas :

— Je te le promets. Sauf que moi, ce n'est pas sur le chantier que j'aimerais aller à la nuit, c'est dans la chambre aux traits.

— Dans la ch… ! s'exclama Clément, s'interrompant juste à temps pour ne pas être entendu. Ce n'est plus de l'audace, c'est de l'héroïsme ! Tu sais que si messire de Cormont nous y prend, ou si un chanoine qui peine à trouver le sommeil nous voit y entrer, notre compte est bon ?

— Tu m'as dit que tu n'avais pas ton pareil pour éviter les gens d'armes, répliqua Colin.

— C'est vrai, et ton idée est diablement alléchante.

Clément se lança dans les récits terrifiants des rencontres qu'il faisait sur les toits de la cathédrale : créatures échappées d'un monde surnaturel, femmes à queue de serpent et hommes à jambes de cheval, stryges[1] et licornes… Colin, bien sûr, ne crut pas un mot de toutes ces fables, et ne fut pas étonné, un moment plus tard tandis qu'ils se séparaient pour retourner travailler, d'apprendre que le père de Clément était trou-

---

1. Créatures nocturnes et malfaisantes.

badour. Comme le disait souvent la mère de Colin en regardant son époux et son fils avec fierté : « Les chats ne font pas des chiens ! »

Depuis son arrivée à Amiens, la rencontre du jeune mortellier représentait ce qui était arrivé de meilleur à Colin. Avec son embauche comme apprenti, naturellement. Attablé avec les autres, dans la fraîcheur du mois de mars et réchauffé par l'amitié de Clément, il avait presque oublié que la journée n'était pas terminée et qu'il avait encore devant lui plusieurs heures de travail.

Un moment plus tard, il était sur le point de reprendre ses outils lorsqu'une voix cria :

— On t'attend sur la tour, Clément, qu'est-ce que tu baguenaudes encore par ici ?

Il se retourna, étonné que Clément l'eût finalement suivi. Mais il ne trouva derrière lui qu'un grand bonhomme à la peau très blanche et aux yeux presque translucides, qu'il avait repéré comme étant le maître mortellier.

— Pardon, gamin, je t'avais pris pour ce traîne-partout de Clément.

Colin réalisa alors à quel point son nouvel ami lui ressemblait, sinon de visage du moins de silhouette. Tous deux de petite taille, ils avaient les mêmes cheveux bouclés aussi sombres que le plumage d'un merle. Cette découverte le remplit de joie. Ce n'était pas en vain qu'il avait quitté sa mère pour entreprendre sa longue marche vers l'inconnu, puisque au bout de la route il avait trouvé un métier et un frère.

— Tu bayes encore aux corneilles, Chétif ! cria l'insupportable Odon. Toujours tes rêves de grandeur ? Méfie-toi, rêver fait venir le diable. Le maître d'avant aussi, il rêvait, et ça a mal fini pour lui. La foudre de Dieu a mis le feu à sa maison. (Il éclata de ce rire grinçant que Colin détestait.) Voilà ce que c'est que d'avoir le feu sacré !

Sans répondre, Colin empoigna ciseau et maillet et s'attaqua avec frénésie à son bloc de pierre.

5

Lorsque sonna l'angélus du soir, Colin était éreinté. Il avait l'impression que le moindre choc ferait éclater son dos en mille morceaux. Malgré la faim qui le taraudait, il se sentait tout juste la force de se traîner jusqu'à sa paillasse pour s'y coucher sans rien avaler.

Cependant, les bavardages de ses camarades lui avaient donné à entendre qu'un souper de fête était prévu, offert par un apprenti qui venait de devenir compagnon. Sans doute serait-il mal vu de ne s'y point montrer, d'autant qu'Odon ne se priverait pas de clamer à tous vents que le nouvel apprenti faisait le fier.

Les mets qui apparurent bientôt sur les longs tréteaux lui mirent d'ailleurs l'eau à la bouche. Il n'y avait pas de viandes, bien sûr, car on était en carême[1]. Elles avaient été avantageusement remplacées par d'appétissants pâtés de poisson, d'abondantes omelettes parfumées au thym, au safran et au gingembre, et des fromages d'une incroyable diversité. Dans des plats en terre fumaient lentilles, petits pois et champignons. À défaut de vin ou de bière, ceux qui trouvaient l'eau trop fade se versaient de grandes rasades d'hypocras, cette boisson à base de miel et d'épices que la mère de Colin réussissait si bien. Les gourmands pouvaient se régaler d'amandes, de noisettes et de raisins de Corinthe, et Colin repéra même quelques pistaches qui, comme on pouvait s'y attendre, disparurent rapidement.

Il s'était glissé du côté des mortelliers dans l'espoir de retrouver Clément, mais il ne vit pas son ami. Celui-ci avait probablement chapardé de quoi se nourrir avant de partir pour une de ses explorations nocturnes. Déçu, Colin se consola en mangeant d'abondance. La fatigue lui faisait de nouveau considérer son avenir sous des couleurs sombres. À quoi bon être venu jusqu'à Amiens ? Mettre ses pas dans les pas de son père ne ferait pas revivre celui-ci. Maître Aurèle était mort, il appartenait au passé.

Sa mère et lui avaient appris le drame par Robin Le Peu, l'ami fidèle qui avait suivi Aurèle à Amiens. Aussitôt après le décès du maître tailleur de pierre, Robin,

---

1. Période d'environ 40 jours, durant laquelle les catholiques ne mangeaient pas de viande pendant la semaine.

bouleversé, avait quitté le chantier et décidé de descendre vers le sud après un bref arrêt à Chartres. Il avait alors raconté comment un incendie s'était déclaré dans la maison du chanoine dont Aurèle occupait une chambre. Le chanoine, par chance, ne se trouvait pas chez lui car il était allé chanter laudes[1] à la cathédrale. Mais Aurèle, profondément endormi, était mort carbonisé. On avait retrouvé son corps noirci au milieu des décombres, et Robin n'avait pu restituer à la mère de Colin que l'anneau de fiançailles gravé à leurs deux noms.

Colin ne s'était jamais résigné à voir l'histoire de son père se terminer aussi brutalement. Robin avait dit bien peu de chose sur la mort du tailleur de pierre, et ce peu de chose ne satisfaisait pas le jeune garçon. Il avait besoin de tout connaître de son père, il voulait rencontrer ceux qui l'avaient aimé. Peut-être quelqu'un lui ferait-il une révélation extraordinaire qui le consolerait de cette mort atroce ?

Or, qu'avait-il appris depuis son arrivée ? Que les grands airs et le mauvais caractère d'Aurèle Le Blond n'avaient guère été appréciés, et que sa mort n'avait probablement pas attristé grand monde. Colin avait préféré taire qui il était, et cette ultime trahison n'était pas pour lui remonter le moral.

— Quelle triste mine tu fais, Chétif ! Aurais-tu encore des ennuis ?

Au moment où la voix d'Odon résonnait à son

---

1. Prières qui se récitaient peu avant le lever du jour.

oreille, Colin vit la forte main de son compagnon de chambre s'emparer de son tranchoir recouvert d'un délicieux pâté d'anguille. En un instant, colère et chagrin redonnèrent des forces au jeune garçon. Il se leva d'un bond, grimpa sur le banc et se mit à taper de ses poings sur le crâne de son ennemi.

Sidéré, Odon s'étouffa à demi avec le morceau qu'il venait d'engloutir et fut pris d'une toux qui le plia en deux. Sans pitié, Colin continuait à frapper en criant :

— Tu vas me rendre ce que tu m'as pris, Odieux, ou bien c'est tripes et boyaux que je te ferai rendre, par ma foi !

Les conversations s'interrompirent. Interdits, les compagnons se tournèrent vers les deux apprentis, puis deux ou trois d'entre eux se décidèrent enfin à s'interposer. La large face d'Odon était aussi pourpre qu'un soleil couchant.

— Allons, bande de drôles ! rugit la voix de maître Béranger. Qu'est-ce donc que ce tintamarre ?

— Il m'a volé mon pain ! bredouilla Colin. Il n'était même pas là pour le bénédicité, il vient tout juste d'arriver et il bâfre déjà comme un glouton !

Colin était assez fier de sa présence d'esprit. On l'avait averti que maître Béranger était à cheval sur la ponctualité et ne plaisantait pas avec la religion.

— Asseyez-vous tous les deux et essayez de vous tenir décemment. On en reparlera plus tard.

Les deux apprentis obéirent sans protester et n'ouvrirent plus la bouche que pour enfourner de la nourriture.

Un moine arriva à point nommé pour faire oublier l'algarade. Il portait un plat creux rempli de taillis aux épices, une sorte de flan au lait d'amande parfumé à la pomme et à la cannelle. Par trois fois il se prit les pieds dans son vêtement et faillit renverser son plat, puis retrouva de justesse son équilibre en murmurant : « Deo gratias ! » Sa démarche dansante était si comique que Colin le prit tout d'abord pour un jongleur déguisé en moine venu présenter son numéro. Mais son voisin de droite lui expliqua qu'il s'agissait du chantre, chargé d'organiser les services religieux et de diriger le chœur.

— Frère Anthelme égare toutes ses affaires et trébuche mille fois par jour, mais il a une voix admirable et il cuisine comme personne. Tu me diras des nouvelles de son taillis aux épices.

Le dessert était en effet succulent. Plus on le gardait en bouche, plus sa saveur se développait en s'enrichissant de mille parfums.

Colin en avalait la dernière bouchée lorsque Maurin de Livry s'approcha et se fit une place à sa gauche.

— Pourquoi es-tu arrivé en retard au souper ? demanda-t-il à Odon.

Celui-ci prit un air fat.

— Après la paie, je suis allé au bord de la rivière retrouver mon amoureuse, elle s'est évanouie et j'ai eu toutes les peines du monde à la ramener jusque chez elle.

Colin fut tenté de demander à Odon par quel

miracle il avait réussi à charmer une jeune fille. Sans doute celle-ci était-elle aveugle et sourde !

— Que lui avais-tu donc fait pour qu'elle s'évanouisse ? plaisanta Maurin. Inutile de me répondre, c'est ton souci et non le mien. Mais tu sais que maître Béranger n'aime pas les retardataires et qu'il déteste les querelles.

— C'est Chét... Colin qui s'est jeté sur moi ! protesta Odon.

— Pour qu'il ose s'attaquer à une grande bourrique comme toi, il faut bien que tu l'aies un peu provoqué. En tout cas, maître Béranger te met à l'amende pour t'apprendre les bonnes manières.

— Combien ?

— Deux pierres, à retirer de ton prochain salaire.

Cela signifiait plusieurs heures de travail non payées. Les grosses joues d'Odon prirent de nouveau une teinte de soleil couchant.

— C'est injuste !

— Voler la nourriture de son voisin est également injuste, répliqua Maurin en adressant un clin d'œil à Colin. Quant à toi, le nouveau, essaie d'avoir la tête un peu moins chaude ! Si tu veux être accepté un jour comme compagnon, tu vas devoir faire preuve de patience et de générosité. Ce sont des qualités auxquelles tient beaucoup maître Béranger. Tout comme celui qui l'a précédé, d'ailleurs. Le Blond n'était peut-être pas toujours facile, mais il était plein de vertus. (Il se leva et passa une main amicale dans les cheveux de

Colin.) Je te fais confiance, Le Joyeux, tu arriveras peu à peu à te maîtriser.

Colin doutait fort d'y parvenir, s'il rencontrait beaucoup de camarades comme Odon. Pourtant il le fallait. Il avait remarqué que les compagnons étaient pour la plupart pondérés et courtois, alors que beaucoup d'apprentis s'échauffaient pour peu de chose. C'était sans doute une des raisons pour lesquelles, Odon, qui disait avoir dix-sept ans et en avait probablement davantage, n'était toujours pas compagnon.

— L'Aurèle était peut-être vertueux, répliqua Odon qui tenait à avoir le dernier mot. Mais il buvait tellement qu'il a mis le feu à la maison du chanoine !

Oubliant ses bonnes résolutions, Colin s'empara de sa corne de bois qu'il venait de remplir d'eau, prêt à en lancer le contenu à la face de son voisin.

Maurin le retint à temps.

— Essaie de ne pas me décevoir, dit-il avec sévérité. Et toi, Odon, ne parle pas de ce que tu ignores. Comment le feu a pris, nul ne le sait et on ne le saura sans doute jamais.

Le crépuscule avait déjà commencé à étendre son grand manteau sombre. Bientôt les portes de la ville seraient fermées et il ne ferait plus bon traîner dans les rues obscures. Après quelques chansons, tout le monde se leva. Colin s'empressa de devancer Odon, bien décidé à feindre de dormir lorsque celui-ci le rejoindrait dans leur chambre.

Bien qu'il n'eût encore passé dans cette ville qu'une nuit et une journée, il avait déjà éprouvé toute une

gamme de sentiments : angoisse et désespoir, exaltation, amitié et inimitié... Maintenant, les dernières
paroles de l'appareilleur l'avaient intrigué et il n'était
plus que curiosité. Il avait bien l'intention de découvrir comment le feu avait pris à la maison du chanoine.

6

Le samedi, le travail cessait à l'angélus de midi. Épuisé, Colin passa tout l'après-midi à somnoler sur sa paillasse et retourna se coucher aussitôt après le souper. À peine allongé il s'endormit, et, le dimanche matin, il n'entendit même pas Odon se lever. Il fut tiré de son sommeil par une voix féminine.

— Voilà qu'il est de nouveau mort ! Il est sûrement mort, pour ne pas avoir senti ma plume de pigeon lui chatouiller l'oreille !

Il ouvrit les yeux à grand-peine. La fille du teinturier, debout près de sa paillasse, agitait à la main une petite plume argentée en simulant la plus vive inquiétude.

— Ah, te voilà enfin ressuscité ! Si tu ne veux pas être en retard à la messe, tu ferais bien de t'habiller au plus vite !

Bien qu'il eût gardé sa chainse et ses braies pour dormir, Colin remonta pudiquement sa couverture, tandis que Colombe quittait la pièce en faisant cascader son rire. Alors il se leva et, sans prendre le temps de se laver, enfila prestement sa cotte[1], laça ses chausses et courut jusqu'à la cathédrale, où il arriva juste à temps pour l'introït[2]. Pour rien au monde il n'eût manqué la messe, mais louer et implorer Dieu était pour l'heure bien loin de ses préoccupations. Du moins s'y employa-t-il à sa manière, en admirant l'œuvre que les hommes avaient bâtie pour célébrer le Seigneur.

La cérémonie se tenait dans la partie collatérale située au sud de la nef. C'était le seul endroit approprié pour célébrer le culte, car partout ailleurs les échafaudages accrochés aux murs présentaient des risques pour les fidèles.

Tout ce que le père de Colin lui avait expliqué, tout ce que le jeune garçon avait si souvent admiré à Chartres, il le retrouvait ici, plus émouvant encore d'avoir été en partie façonné par son père durant les derniers mois de son existence. Tout en récitant machinalement les prières, Colin évoquait les mots magiques entendus dans la bouche du tailleur de

---

1. Tunique qu'on portait sur la chainse.
2. Première prière de la messe.

pierre : vaisseau de pierre fendant les flots des plaines et des forêts et faisant chanter le vent dans ses hautes fenêtres, phare guidant le peuple vers l'éternité, merveille de pierre et de bois... Notre-Dame d'Amiens, comme Notre-Dame de Chartres, était un chef-d'œuvre. Aurèle Le Blond y avait participé, et Colin, un jour, serait l'artisan d'un autre chef-d'œuvre. Fasciné par tant de beauté, il entendait à peine les paroles des chanoines, il n'avait pas un regard pour les malades allongés sur des paillasses qui espéraient une guérison miraculeuse. Il regardait Renaud de Cormont qui priait dans les premiers rangs et s'imaginait semblable à lui, plus tard. Ganté de blanc, le compas passé dans la ceinture, tenant à la main une poche de cuir remplie de parchemins, il exposerait son grand projet au maître tailleur de pierre, au maître charpentier, au maître maçon, au maître verrier...

La fin de la messe l'obligea à émerger de son rêve. Autour de la cathédrale régnait une grande effervescence. Des mendiants harcelaient les gens richement vêtus, des chiens et des cochons en quête de nourriture filaient entre les jambes des badauds, un échassier déguisé en Fou du roi faisait son numéro au coin d'une rue.

— Chaud et soif, mes seigneurs, entrez, entrez ! hurla soudain un homme dans les oreilles de Colin.

Il passait devant une rôtisserie.

— Ici, le vin est bon, mes chapons sont dorés ! Venez taster mon vin de Loire, sa cuisse est plus douce que celle d'une femme ! Entrez, mes seigneurs !

Colin s'éloigna et se trouva bientôt pris dans un attroupement qui entourait un cracheur de feu. L'homme avait le visage le plus laid que Colin eût jamais vu, un œil plus haut que l'autre et un horrible nez qui semblait rongé par la lèpre, mais l'habileté de son numéro faisait vite oublier son physique. Il avait une telle vigueur que le feu s'échappait de sa bouche avec la puissance d'un soufflet de forge. Entre ses numéros, tandis qu'il se rinçait la bouche ou vérifiait sa torche, il poussait des cris rauques, comme s'il avait voulu parler mais qu'il en fût incapable. Ce spectacle rappela soudain à Colin les souffrances de son père dans la maison en flammes, et une impression étrange l'envahit, comme si tout à coup le monde qui l'environnait basculait, comme si ce qui était familier devenait hostile. Il lui sembla que le cracheur de feu le regardait avec haine, que les chiens qui traînaient dans les jambes des flâneurs s'étaient transformés en loups, et que les chanoines étaient des créatures diaboliques, habilement travesties pour tromper les fidèles.

Les cloches sonnant l'angélus dissipèrent sa frayeur. Il était temps de rejoindre les tailleurs de pierre pour le repas de midi.

Ils tiraient déjà les bancs pour s'asseoir. Mais qu'avaient-ils donc, à présent ? La gaieté et l'exubérance du dîner de fête s'étaient envolées. Le bénédicité prit des allures de requiem, puis tout le monde s'assit en silence, la mine sombre. Même l'arrivée sautillante de frère Anthelme portant un plat dans lequel fumaient d'appétissants morceaux de chevreau ne parvint pas à dérider les hommes.

Sans doute célébrait-on ce jour-là un triste anniversaire. Tout en calquant son attitude sur celle de ses voisins, Colin se servit copieusement de pain brûlé pour accompagner son morceau de viande, dont il se régala. Le vin aidant, les langues commencèrent bientôt à se délier.

— Une chance qu'il n'ait pas été tué sur le coup ! bougonna un compagnon.

— Tu appelles ça avoir de la chance ? protesta un autre. Dans l'état où il se trouve, mieux vaudrait pour lui être mort.

— Tant qu'il y a un souffle de vie, on peut espérer.

— Sornettes ! A-t-on jamais vu quelqu'un se remettre debout avec les reins brisés ?

Colin s'enhardit à interroger son voisin.

— Qu'est-il donc arrivé ?

— Un gamin s'est rompu le cou en tombant de la tour nord, expliqua l'homme.

Colin lui jeta un regard horrifié.

— Pas jusque dans la rue, précisa l'autre, ou on n'aurait plus ramassé que de la bouillie. Il a rebondi sur une plate-forme d'échafaudage et a fini sur une autre un peu plus bas. Le pire, c'est qu'à l'aube, quand le maître maçon l'a trouvé, il était là depuis des heures. Blanc comme la mort et tremblant de tous ses membres, même qu'il avait... Enfin tu comprends ce que je veux dire : il n'avait pas pu se retenir tout ce temps !

Colin eut soudain un horrible pressentiment.

— S'il était là depuis des heures, c'est qu'il est tombé hier soir avant le souper. Comment se fait-il que personne ne l'ait vu ?

— Avant le souper ? Impossible, les maîtres sont toujours les derniers à quitter le chantier. M'est avis qu'il a eu envie d'aller s'y balader pendant la fête ou un peu plus tard dans la nuit. De toi à moi, ce ne serait pas la première fois. Je savais, moi, qu'il allait parfois tout là-haut tirer des pigeons, mais tu penses bien que je ne l'aurais jamais dénoncé.

Cette fois, le doute n'était plus guère possible.

— Est-ce qu'il ne s'agirait pas d'un valet mortellier ? interrogea Colin d'une voix blanche.

— Pour sûr. Le petit Clément.

Colin eut à peine le temps de s'éloigner de quelques pas avant de rendre tout ce qu'il avait avalé.

— Où est-il maintenant ? demanda-t-il un moment plus tard à celui qui lui avait appris le drame.

— Chez lui, je suppose.

— Savez-vous où il habite ?

— Chez le grainetier de la rue des Friperies, à côté du marché au blé.

Colin savait où se trouvait le marché au blé pour l'avoir longé le soir de son arrivée. Il courut à perdre haleine dans la rue du Beau-Puits, tourna à gauche dans la rue des Sergents, et repéra sans peine la rue des Friperies. L'enseigne du grainetier, qui représentait un épi de blé géant, était visible de loin.

7

— Alors tu es un ami de Clément, s'exclama la femme du grainetier lorsque Colin se fut présenté. Tu auras de la chance s'il te reconnaît ! Tu le trouveras tout en haut, c'est la porte à droite de l'escalier.

La mansarde dans laquelle se reposait le jeune mortellier était semblable à celle que Colin partageait avec Odon : un vilain plancher aussi mince que du parchemin, une petite fenêtre carrée tendue de papier huilé, et un châlit[1] de bois recouvert d'une paillasse. Dans un coin, voisinaient un pot de chambre et un tabouret à trois pieds sur lequel poser les vêtements. La

---

1. Armature de lit.

seule différence entre les deux logis était l'odeur qui montait ici jusque dans les mansardes, un parfum un peu poussiéreux où se mêlaient ceux du blé, du seigle et du méteil[1], de l'orge et de l'avoine.

Le visage de Clément était si pâle qu'il semblait presque transparent.

— Je dois ressembler à un mulot qui serait passé sous le sabot d'un âne, dit le jeune garçon d'une voix faible.

— Ou à un paresseux prêt à tout pour ne plus mélanger de mortier, tenta de plaisanter Colin.

Il approcha le tabouret de la paillasse et s'y assit.

— Pardonne-moi, ajouta-t-il un peu confus. Ce n'était pas de très bon goût. Qu'est-ce qui s'est passé, Clément ? Tu peux me raconter, ou bien tu as trop mal ?

— Ça peut aller, à condition de rester aussi immobile qu'un chat à l'affût. C'est une drôle de sensation de vide, comme si je n'avais plus qu'un trou à la place du dos... Tu sais, Colin, je crois que le Ciel m'a puni pour ma désobéissance. J'étais furieux contre Florentin et...

— Florentin ?

Un éclair d'impatience passa dans les yeux de Clément.

— Tu ne peux pas ne pas voir qui c'est ! Ce compagnon tailleur de pierre qui adore effrayer tout le monde. Il avait sauté sur moi depuis un chariot en

---

1. Mélange de seigle et de froment.

poussant un hurlement de loup. J'étais tellement énervé qu'au lieu d'aller à la fête j'ai préféré passer un moment sur le chantier. Là, au moins, c'est tranquille, on n'a que les moineaux avec qui se quereller ! J'ai tiré un pigeon, et puis j'ai rêvé.

Il s'interrompit net, le regard tourné vers la porte.

— Qui est-ce ? demanda-t-il.

Colin se retourna. La porte était close et on n'entendait d'autre bruit que la rumeur montant de la rue.

— De qui parles-tu ?

— De ce chevalier avec sa grande cape brune et son épée.

Colin n'osa pas rétorquer que nul autre qu'eux deux ne se trouvait dans la pièce.

— Enfin tu le vois bien, tout de même ! s'énerva le blessé, avant de se calmer brusquement. Bon, le voilà parti ! Je crois l'avoir reconnu, c'était Gaétan de Montlouis, un personnage des récits de mon père. Hier soir aussi il est venu me voir sur la tour nord pour m'avertir du danger, mais je ne l'ai pas écouté. J'attendais la gargouille[1], tu comprends. Je vais tout te raconter, et je te préviens : si tu ne me crois pas, on n'est plus amis !

De toute évidence, la chute de Clément lui avait mis la tête à l'envers. L'entendre délirer avec une assurance un peu agressive était encore plus impressionnant que de le savoir incapable de se mettre debout.

---

1. Conduite horizontale permettant d'éviter que les eaux de pluies ruissellent le long des murs. Au Moyen Âge, les gargouilles sculptées représentaient souvent des créatures fantastiques.

— Je n'ai pas la moindre idée du temps que j'ai passé à rêver là-haut, reprit-il. Et puis tout à coup... Mais il faut d'abord que je te dise pourquoi j'étais monté.

— Tu n'avais plus envie de participer à la fête, l'interrompit Colin dans l'espoir de l'aider à retrouver le fil de ses idées. À cause de Florentin, c'est ça ?

— Pas du tout ! protesta Clément. Tu ne m'écoutes donc pas ? Florentin, c'était avant-hier. De toute façon, avec lui, c'est tous les jours qu'on se bagarre... J'étais donc parti pour aller dîner avec vous tous, mais dans la rue Saint-Martin j'ai rencontré une des gargouilles de la cathédrale. Celle qui se trouve en haut à gauche du portail central et qui a une tête de bête sauvage. Tu vois de laquelle je veux parler ?

— Je crois que oui, acquiesça prudemment Colin.

— Elle était descendue du portail et s'était cachée dans l'encoignure d'une porte. Quand je suis passé près d'elle... Tu me suis ?

— Tout à fait.

— Elle s'est faufilée derrière moi en chuchotant : « Rendez-vous sur la tour nord au coucher du soleil. Un secret à te confier, c'est une question de vie ou de mort. » Avant que j'aie pu lui poser la moindre question elle avait disparu. Tu me connais, je me serais laissé étriper plutôt que de ne pas être au rendez-vous !

— J'aurais fait comme toi, approuva Colin que l'agitation croissante de son ami commençait à inquiéter.

— J'espère bien, ou alors je ne suis plus ton ami !
Donc, au lieu de me régaler avec vous, je suis monté
sur la tour pour y entendre la fameuse révélation. J'ai
poireauté un bon moment sans voir personne, puis des
moines du chapitre sont arrivés et se sont mis à danser sur une musique qui semblait sortie tout droit de
l'enfer. Frère Anthelme, monté sur des échasses, bat-
tait la mesure en frappant deux épées l'une contre
l'autre, le trésorier jonglait avec des étuis d'argent
contenant des reliques, et le proviseur[1] se tordait dans
tous les sens en poussant des hurlements de joie.
Quand ils m'ont vu, ils m'ont fait signe de les
rejoindre, mais c'était un piège ! J'étais à peine entré
dans la danse que l'un d'eux m'a poussé dans le vide
en ricanant. Au moment de tomber je me suis
retourné, et alors j'ai reconnu la gargouille déguisée en
moine. En fait c'était la Mort, sûrement, qui avait pris
cette apparence pour m'attirer là-haut.

— Mais elle a raté son coup, répliqua Colin,
puisque tu es vivant. Et le chevalier de Montlouis ? À
quel moment est-il apparu sur la tour ?

Clément regarda son ami sans paraître comprendre
le sens de ses paroles. Puis soudain il baissa les yeux
vers la paillasse, au niveau de ses pieds, et se mit à agiter les bras en criant :

— Les revoilà, ces sales rats ! Ils n'arrêtent pas de
tourner autour de moi, ils croient que je suis mort
parce que je ne bouge pas, ils attendent que je ferme

---

1. Moine chargé de la gestion du chantier de construction.

les yeux pour me dévorer ! Tue-les, Colin ! Allez, vas-y, Colin, remue-toi un peu, espèce de lâche !

Colin souleva légèrement la paillasse et examina le sol avec soin.

— J'ai bien vérifié, dit-il enfin d'une voix apaisante. Il n'y a pas l'ombre d'une queue de rat.

Mais Clément lui jeta un œil mauvais.

— Va-t'en ! cria-t-il. Tu n'es pas mon ami, tu ne l'as jamais été ! Tu es complice avec eux, c'est toi qui as persuadé la gargouille de m'attirer sur le chantier, toi qui t'es déguisé en moine pour me pousser dans le vide ! Au secours ! À l'aide ! On veut m'assassiner ! Au secours !

La porte s'ouvrit et la femme qui avait accueilli Colin pénétra dans la pièce, tenant à la main un bol rempli d'un liquide fumant.

— Tenez-le bien, ordonna-t-elle à Colin, que je lui fasse avaler ça.

Clément devait être très assoiffé, car il but avidement. Puis, après avoir jeté autour de lui quelques regards effarés, il renversa la tête en arrière et s'endormit profondément.

— C'est une infusion à base d'opium et de houblon, expliqua la femme. Le mire[1] a dit qu'il serait agité pendant un jour ou deux à cause de la frayeur qu'il a eue quand il s'est vu tomber, pauvre gamin. Tout de même, j'ai grande impatience que ses parents viennent le chercher. On ne veut pas de lui à l'hôpital

---

1. Le médecin.

Saint-Jean, ils disent qu'ils ne peuvent rien pour le guérir. C'est bien beau, mais qui est-ce qui va me payer la chambre ?

Colin faillit rétorquer que la présence de Clément dans cette minuscule soupente ne devait guère troubler la vie de la maisonnée. Mais il jugea préférable d'amadouer l'avare bonne femme.

— Ne vous inquiétez pas, vous serez payée, lui répondit-il avec une assurance feinte. J'en parlerai à messire de Cormont ou au trésorier du chapitre.

Il quitta la maison du grainetier la mort dans l'âme, plus triste encore que si Clément était mort. Il avait l'impression d'avoir rendu visite non pas à son ami mais à un inconnu possédé par un démon coléreux et plein de haine. Le mire avait-il dit vrai ? Clément allait-il redevenir lui-même ? Comment, alors, supporterait-il d'apprendre qu'il allait peut-être passer le reste de sa vie aussi immobile qu'un gisant ?

Le jeune garçon regagna le quartier de la cathédrale et erra à l'aventure en direction de la rivière, espérant que la vision des moulins à eau apaiserait son angoisse. Dans son désarroi, il finit par s'égarer et se résolut à demander son chemin à un mendiant.

— Prends la rue du Hocquet sur la gauche, lui dit le bonhomme. Au premier croisement, tourne vers la droite et tu verras la rivière.

Plongé dans ses pensées, Colin manqua le premier croisement. Tout à coup il s'arrêta net, saisi d'effroi. Devant lui s'étalaient des décombres noircis et encombrés d'immondices au milieu desquels étaient vautrés deux cochons repus.

— Comment s'appelle cette rue ? demanda-t-il à un passant.

— Tu n'as qu'à regarder les enseignes ! répliqua l'homme en riant. Rue des Gantiers.

Colin eut l'impression d'avoir reçu un coup au cœur, car c'était dans la rue des Gantiers que son père avait demeuré.

— Et la maison qui était là... bafouilla Colin.

— C'est celle qui a brûlé l'an dernier. Je m'en souviens bien, attendu que j'habite à deux pas d'ici. On a retrouvé le malheureux maître Aurèle aussi calciné qu'un morceau de lard, sauf mon respect. Le chanoine n'était pas chez lui, vu que ça s'est passé au petit matin, à l'heure où on chante laudes. Une chance pour lui... (L'homme s'interrompit un instant, pensif, puis haussa les épaules.) Une chance ou un miracle, pour sûr, faut pas écouter les mauvaises langues... Allez, bonne journée, gamin, et à te revoir !

Colin resta un long moment planté sur la chaussée à regarder fixement le pitoyable amas noirci.

L'homme avait dit vrai, c'était bien un miracle que le chanoine se fût trouvé à la cathédrale au moment précis où les flammes dévoraient sa maison. Mais pourquoi Dieu avait-il décidé d'épargner un homme et d'en faire périr un autre ? La vie d'un chanoine lui était-elle donc plus précieuse que celle d'un maître tailleur de pierre qui consacrait toutes ses forces à l'édification d'une cathédrale ?

Admettre une telle idée était effrayant, mais la refuser l'était encore bien davantage. Pourquoi l'homme avait-il dit qu'il ne fallait pas écouter les mauvaises langues ? Soupçonnait-il l'intervention d'une main humaine, la main de quelqu'un qui haïssait le tailleur de pierre mais qui craignait que l'assassinat d'un chanoine ne le voue aux flammes de l'enfer ?

Si telle était la vérité, Colin se devait de découvrir le meurtrier de son père.

8

Les moulins sur la Somme avaient perdu tout attrait pour Colin. Après le choc qu'il avait reçu devant les décombres de la maison de son père, il avait besoin de rester seul. Il regagna la rue du Beffroy et monta dans sa petite chambre, soulagé de n'y point trouver l'insupportable Odon.

Sans doute le teinturier avait-il emmené sa femme et la jeune Colombe en promenade, car la maison tout entière baignait dans le silence. Dans la mansarde inondée par les rayons du soleil, l'air était étouffant. Colin avait projeté d'élaborer un plan de bataille pour son enquête, mais à peine allongé il sombra dans un sommeil de plomb.

Il en fut tiré par l'angélus du soir. Il bondit de sa paillasse pour aller souper avec ses camarades. Il rajustait ses vêtements lorsque la porte s'ouvrit à la volée, livrant passage à un Odon suant à grosses gouttes. En voyant Colin, l'apprenti s'arrêta net comme un gamin pris en faute. Il ouvrit la bouche, probablement pour lancer encore quelque moquerie, mais Colin ne lui en laissa pas le temps.

— Toi qui es toujours informé de tout, lui demanda-t-il, tu sais sûrement lequel des chanoines demeurait dans la maison qui a brûlé l'an dernier.

— Si tu crois que je m'en souviens, marmonna Odon. Demande à Maurin ou à Béranger. Tu viens souper ? Je suis revenu ici exprès pour te réveiller, que tu ne passes pas la nuit l'estomac creux.

Colin n'en crut pas ses oreilles.

— Tu t'inquiètes pour moi, maintenant ? Quelle mouche t'a piqué ? Et d'abord, comment savais-tu que j'étais ici et que je m'étais endormi ?

Odon haussa les épaules sans répondre et rebroussa chemin.

Colin n'était pas au bout de ses surprises. À la fin du souper, son camarade vint lui apporter le renseignement dont il avait besoin.

— J'ai questionné Maurin. Le chanoine que tu cherches, c'est frère Gontran de Picquigny. Il est proviseur pour cette année.

— Le proviseur ? répéta Colin avec un soupçon d'inquiétude.

— Ne me dis pas que tu ne sais pas qui c'est, Chétif ! C'est lui qui tient les comptes et qui surveille le chantier. On en nomme un nouveau tous les ans.

Colin savait cela, bien sûr, et c'était précisément ce qui l'ennuyait. Poser des questions à un quelconque chanoine l'intimidait déjà, mais interroger le proviseur lui semblait au-dessus de ses forces.

— C'est celui qui n'a pas de menton et qui est toujours couvert de taches, reprit Odon. Il habite maintenant rue du Four-L'Évêque.

Il sembla à Colin qu'Odon le regardait avec perplexité. Perplexe, lui-même ne l'était pas moins. Pour quelle raison son compagnon de chambre se montrait-il tout à coup si serviable ?

Du moins était-il rassuré d'apprendre que le proviseur était ce moine qu'il avait trouvé presque aussi comique que frère Anthelme lors du dîner de fête. Frère Gontran ne cessait de tourner la tête et d'agiter les yeux dans toutes les directions comme un moineau sur le qui-vive, et pour chaque bouchée de nourriture qu'il enfournait, une quantité équivalente pleuvait invariablement sur son vêtement. De plus, Odon disait vrai, le proviseur avait un profil singulier. Son menton semblait lui avoir été arraché par un malencontreux coup de taillant[1] et son nez le précédait d'au moins deux pouces[2].

Aussi Colin n'hésita-t-il pas à lui emboîter le pas dès qu'il le vit s'éloigner de la table du souper. La rue du

---

1. Marteau tranchant servant à tailler la pierre.
2. 1 pouce équivaut à un peu moins de 3 cm.

Four-L'Évêque était toute proche de la cathédrale, il rattrapa le chanoine sur le seuil de sa porte.

— Pardonnez-moi de vous avoir suivi jusqu'ici, frère Gontran. Je m'appelle Colin et je suis apprenti tailleur de pierre. J'aimerais vous entretenir d'un sujet qui me préoccupe.

— Entre donc, mon jeune ami, lui proposa frère Gontran tout en écarquillant des yeux effarés.

Il poussa la porte et introduisit Colin dans une petite pièce carrée qui sentait la verveine. Le mobilier était simple mais confortable : une table solide, deux escabeaux, un dressoir et une maie pour le linge. Un grand crucifix de bois surmontait la cheminée devant laquelle se trouvait un poêle d'argile. Derrière une porte entrouverte, Colin aperçut la vasque de pierre de la cuisine.

— Assieds-toi et expose-moi ton souci, dit le religieux.

Colin eut recours à un stratagème pour ne pas éveiller la méfiance du chanoine.

— C'est au sujet de Clément, le mortellier qui a fait une chute. Sa logeuse se plaint de ce qu'il ne pourra lui payer sa chambre, puisqu'il ne travaille plus. Savez-vous quand ses parents doivent venir le chercher ?

— Pas de sitôt, à ce qu'il paraît. Je doute d'ailleurs que le pauvre garçon soit en état de voyager. Le chapitre a entendu parler d'un homme remarquable qui a étudié la médecine à Montpellier. Il a fait des miracles, dit-on, dans des cas semblables. Mais j'ignore quand il pourra venir dans notre ville.

Le chanoine, qui tout en parlant n'avait cessé de jeter des regards nerveux autour de lui, s'abîma soudain dans la contemplation d'une écorchure qui ornait l'index de sa main droite.

— Vous pensez qu'un jour il marchera de nouveau ? s'inquiéta Colin.

— Seul Notre Seigneur pourrait répondre à cette question. Quant à sa logeuse, je ne vois pas trop comment apaiser ses craintes.

C'était le moment, pour Colin, d'exposer son idée.

— Si chaque compagnon et chaque apprenti mettaient de côté un denier[1] par jour, à la fin de la semaine on aurait de quoi payer la bonne femme. Pensez-vous que maître Béranger serait d'accord ?

Un regard songeur levé vers le plafond, frère Gontran se livra en silence à d'interminables calculs dont quelques bribes parvinrent à l'oreille de Colin.

— Dix-huit... vingt... journées... compagnons... au moins... dix valets... astucieux...

Ce dernier mot était plutôt rassurant.

— Je crois que ce serait faisable, conclut en effet le proviseur. (Il avait renoncé à inspecter le plafond et examinait maintenant avec soin l'ourlet d'une des manches de sa tunique.) On n'obligera personne à donner, bien sûr, et on demandera un peu moins aux apprentis et aux valets qu'aux compagnons. Si c'est nécessaire, la fabrique[2] complétera. Sois tranquille,

---

1. Il fallait 12 deniers pour faire 1 sou, et 20 sous pour faire 1 livre.
2. Composée de chanoines du chapitre, la fabrique jouait le rôle d'un entrepreneur dans la construction de la cathédrale.

petit, ton ami aura le gîte et le couvert aussi longtemps qu'il le faudra.

— Je ne sais comment vous remercier, frère Gontran.

— Ce n'est rien, c'est mon rôle de régler ce genre de petit tracas.

— Alors je vous souhaite le bonsoir, dit Colin en se levant pour s'incliner avec respect devant son hôte. (Puis, sursautant comme si cette idée venait de le frapper, il ajouta :) N'est-ce pas votre maison qui a brûlé l'an passé ?

— Hélas oui, répondit le chanoine. Il n'en est rien resté et j'en suis bien marri, car elle m'avait été léguée par mon père. Mais telle était la volonté du Seigneur, et mon nouveau logis ne me déplaît pas. Je regrette seulement qu'il soit trop petit pour que je puisse y loger quelqu'un. J'aimais causer avec le maître tailleur que j'hébergeais. Pauvre homme, sa mort a été une grosse perte pour le chantier. Il était plein de talent et d'idées. Que d'heures nous avons passées à échafauder des plans, à imaginer de nouveaux procédés pour faciliter le travail et monter encore plus haut vers le ciel...

— Vous aussi, vous vous passionnez pour la cathédrale ? demanda Colin en dissimulant à grand-peine son émotion.

— Quand j'avais ton âge, mon garçon, je voulais devenir maître d'œuvre. Puis mon chemin a pris une autre direction. Lorsque Dieu m'a demandé de lui faire don de ma vie, je n'ai plus eu le loisir d'étudier comme je l'aurais voulu. Par le passé, les maîtres d'œuvre étaient le plus souvent des moines. Aujourd'hui, on les recrute plutôt parmi ceux qui ont étudié à l'université. Quant à nous, hommes de Dieu, on nous attribue des tâches moins nobles.

— On m'a dit que certains maîtres d'œuvre étaient d'anciens tailleurs de pierre.

— C'est exact. Aurèle Le Blond, par exemple, était certainement appelé à un grand avenir, si cet effroyable accident ne l'avait fauché en pleine maturité. Cependant il faut se plier devant la volonté de Dieu. Il n'est pas donné à chacun de parvenir au bout de sa route. Ce qui importe, c'est de s'y être engagé et d'y avoir cheminé en donnant sans cesse le meilleur de soi-même. Ainsi, moi qui te parle, j'ai renoncé à élever un jour une cathédrale. Cela ne m'empêche pas de tracer des plans et de rêver d'un édifice qui n'existera jamais que dans mon imagination.

Malgré son physique disgracieux et son comportement un peu bizarre, ce chanoine commençait à plaire à Colin. Une idée était en train de germer dans son esprit.

— Vous connaissez donc l'architecture ? demanda-t-il. J'aimerais tellement apprendre ! Moi aussi, comme mon... comme cet homme dont vous parlez, je rêve de devenir maître d'œuvre.

Pour la première fois depuis leur entretien, le proviseur regarda Colin droit dans les yeux.

— Vraiment, tu aimerais cela ? demanda-t-il d'une voix un peu rauque. Serais-tu prêt à écourter tes heures de repos pour travailler avec moi ? Aimerais-tu que je t'enseigne tout ce que j'ai glané au cours de mon existence ?

— Ce serait extraordinaire.

— Alors c'est entendu. Chaque soir, après complies[1], tu passeras ici une heure ou deux avec moi. Nous commencerons dès demain. Je te montrerai mes plans et nous y travaillerons ensemble. Mais tu dois me promettre de n'en parler à personne. Renaud de Cormont est assez jaloux de ses secrets, il n'aimerait pas trop savoir que je m'inspire de son travail. Promis ?

Colin promit, et quitta la maison du chanoine le cœur en fête. Il n'avait passé les portes de la ville que depuis deux jours, et déjà il avait trouvé quelqu'un pour l'aider à réaliser son rêve. En outre, cet homme avait connu son père...

---

1. Dernier office du soir, vers 20 heures.

9

Colin s'accoutuma peu à peu à la rude vie d'apprenti. Au fil des jours, ses muscles se fortifièrent et des cals se formèrent dans les paumes de ses mains. Chaque pierre taillée signifiait des deniers qui tomberaient dans son escarcelle, et chaque repas lui permettait de se lier davantage avec les hommes du chantier.

Ils étaient venus de tous les horizons. Picards, Bourguignons et Béarnais usaient tous de parlers différents, parfois difficiles à comprendre. Certains même étaient nés encore plus loin, à Gênes, dans le royaume d'Aragon[1] ou au cœur du Saint Empire romain germanique.

---

1. Au nord-est de l'Espagne.

Et pourtant ils arrivaient à communiquer, à grand renfort de gestes ou d'onomatopées[1]. En cas de nécessité, les appareilleurs servaient d'interprètes. Cette capacité à manier les langues était d'ailleurs une des qualités que l'on attendait d'eux, et Maurin de Livry n'en était pas dépourvu.

Après le souper, Colin traînait un moment dans les rues ou bien, les soirs de pluie, il assistait à complies. Puis il se rendait dans la maison du Four-L'Évêque où l'attendait frère Gontran.

Lorsqu'il regagnait la rue du Beffroy, il était tout étourdi. De la beauté plein les yeux, il pensait ne jamais parvenir à trouver le sommeil. Et pourtant, à peine allongé sur sa paillasse, il s'évadait vers le royaume des rêves.

— Où étais-tu encore passé ? lui demandait Odon les rares soirs où il n'était pas déjà endormi au retour de Colin.

— Voir mon amoureuse, répliquait celui-ci.

— Un Chétif comme toi, tu aurais ensorcelé une créature ?

— Tout comme toi, Odieux !

Odon éclatait d'un rire qui sonnait faux, puis se retournait sur sa paillasse et se mettait à ronfler.

En son for intérieur, Colin songeait que les moments passés avec frère Gontran lui apportaient plus de joies que ne l'eût fait la plus jolie fille.

---

1. Sons utilisés pour remplacer des mots.

À peine avait-il frappé à la porte du proviseur, celui-ci apparaissait sur le seuil et entraînait son élève vers la longue table. Tout le matériel était en place : parchemins, lits de plâtre et planchettes de bois sur lesquels tracer les plans, règle, équerre et compas.

— Un bon maître d'œuvre doit posséder l'art du trait à la perfection, expliquait frère Gontran. En principe, seuls les grands bâtisseurs sont initiés, mais j'étais proche de Thomas de Cormont, le père de messire Renaud, car nous nous sommes connus dès l'âge le plus tendre. Il savait ma passion pour l'architecture et il avait confiance en moi.

Tout en guidant la main de Colin, le chanoine ne cessait de discourir.

— Depuis qu'on a inventé la clé de voûte, la seule fonction des murs est de monter le plus haut possible et de s'ouvrir à la lumière. Autrefois, la solidité de l'édifice reposait sur la corporation des charpentiers, on devait massacrer des forêts pour étayer des murs lourds comme la terre. Dorénavant, ce sont les tailleurs de pierre qui sont les artisans de la beauté, ce sont eux qui bâtissent des cathédrales aussi légères que l'air. Ensuite viennent les verriers. Dans quelques années, lorsque les vitres colorées auront été serties dans la pierre, les Amiénois n'auront qu'à lever les yeux pour lire la vie du Christ. Tu comprends, mon garçon ? Ne crispe pas ta main sur la règle, ou ta plume va déraper. Regarde comment on s'y prend pour tracer un cercle : tu places l'extrémité de ce cordeau[1] au centre du cercle, puis tu le fais pivoter... Je vois que tu saisis vite. Applique-toi bien... Sais-tu ce que signifient les murs d'une cathédrale ?

Colin n'avait nul besoin de répondre. Frère Gontran ne posait des questions que pour s'octroyer le temps de reprendre sa respiration.

— Les quatre murs principaux figurent les quatre vertus : justice, force, prudence et tempérance. Plus ils sont hauts, plus grandes sont les vertus. Leur longueur est symbole de persévérance, et leur largeur, de charité. Tout est dans tout, mon garçon, l'âme est dans le corps et la foi dans le bâtiment. Les tours et les flèches représentent le ciel, la nef représente la terre. Et le coq qu'on place tout là-haut, sais-tu à quoi il sert ?

— À indiquer la direction du vent, répondit Colin qui tenait à montrer son savoir.

Le chanoine jeta un coup d'œil effaré vers l'âtre et se baissa pour y ramasser un morceau de gravier tombé du conduit.

— Tu m'as tout l'air de quelqu'un qui se laisse porter par le vent comme un fétu sur la rivière ! Le coq, mon garçon, représente celui qui veille la nuit et qui réveille les croyants pour la prière. Tout a un sens, rien n'est un hasard. Le pavé représente les humbles, les colonnes sont les évêques et les degrés de l'autel sont ceux des vertus...

Heureusement, il arrivait toujours un moment où frère Gontran s'égarait dans la forêt des symboles.

---

1. Sorte de fil à plomb qui permettait de vérifier la verticalité des murs.

Après avoir considéré d'un air courroucé une mouche qui se promenait sur les plans ou s'être vigoureusement gratté l'oreille, il revenait sur les chemins plus tangibles du dessin d'architecture.

À deux ou trois reprises, Colin tenta de l'interroger sur les circonstances dans lesquelles s'était déclaré l'incendie. Ce fut en pure perte. Le nez du chanoine sembla s'allonger encore, ce qui lui restait de menton se couvrit de transpiration, et il se lança dans le récit d'un épisode de la vie d'Augustin, un saint qu'il vénérait.

Tout sujet qui s'éloignait tant soit peu de l'architecture le plongeait d'ailleurs dans le plus grand embarras. Que Colin lui raconte les plaisanteries de mauvais goût d'Odon ou les sales tours de Florentin, qu'il lui parle des cauchemars de Clément ou qu'il l'interroge sur les personnes étranges qu'il avait pu croiser dans la rue, et le proviseur se rappelait soudain avoir mis de l'eau à chauffer pour une tisane ou entendait un chat miauler sous la fenêtre. Il commençait alors à s'agiter dans tous les sens et Colin en était pour ses frais. Si frère Gontran n'avait été choisi par l'assemblée des chanoines pour remplir une mission de confiance, Colin eût été tenté de le considérer comme un farfelu. Mais ces soirées paisibles l'enchantaient, durant lesquelles, à la lueur de la chandelle, tous deux se penchaient sur des parchemins qui étaient comme les plans d'accès à un trésor.

Un soir, alors qu'il était en train de recopier le profil d'un arc-boutant, frère Gontran, qui était allé s'affairer un moment dans la cuisine, revint se poster à côté de lui.

— Tu m'as bien dit que tu aimerais t'essayer à tailler une image [1], mon garçon ? lui demanda-t-il.

— J'en rêve jour et nuit, répondit Colin.

— Il faudra que tu fasses tes premières armes avec de l'argile, avant de passer à la pierre. Si tu veux, je te procurerai de l'argile et tu pourras commencer dès demain. Je ne saurai guère t'aider car je suis assez ignare en la matière, mais je peux au moins t'offrir ceci.

Colin leva le nez de sa planchette. Le proviseur tenait entre ses mains un ébauchoir en merisier. L'outil avait si souvent été manié que le bois usé en était aussi lisse que la peau d'un bébé.

— Il appartenait au maître tailleur qui habitait chez moi. Je l'ai récupéré dans la loge. Quelque chose me dit que tu sauras en faire bon usage.

Colin s'empara de l'outil d'une main mal assurée. Il le possédait enfin, ce talisman qu'il avait espéré trouver à Amiens, le legs transmis par son père depuis l'au-delà. Aucun autre objet n'eût pu l'émouvoir davantage.

— Ne me remercie pas, ajouta le proviseur. Je suis heureux qu'il t'appartienne. C'est étrange, lorsque nous travaillons ensemble, je pense sans cesse à maître

---

1. Les tailleurs d'images, ou sculpteurs, étaient choisis parmi les meilleurs tailleurs de pierre.

Aurèle. Tu ne lui ressembles pas vraiment, et pourtant tout en toi me le rappelle.

Tout au long de sa course jusqu'à la rue du Beffroy, ce soir-là, Colin serra l'ébauchoir très fort contre son cœur.

10

Colin s'attaqua au morceau d'argile dès le lendemain soir. Le proviseur lui avait montré un interstice entre deux pierres de la façade dans lequel il dissimulerait la clé de sa maison. Le jeune garçon pouvait ainsi se rendre rue du Four-L'Évêque aussitôt après souper tandis que les chanoines chantaient complies.

Il avait été tenté de modeler le visage extraordinaire de frère Gontran, mais il n'était pas certain que celui-ci eût apprécié la plaisanterie. Aussi avait-il finalement choisi de reproduire la gargouille dont lui avait parlé Clément.

Il savait à peu près comment s'y prendre car il s'était déjà essayé, petit, à modeler des formes simples, des feuilles d'arbres, des osselets et même un oiseau. Il avait souvent observé les tailleurs d'images, sur le chantier de Chartres, il les avait regardés créer un modèle d'argile avant de s'attaquer à la pierre, pétrir longuement la matière pour l'assouplir, puis la sculpter à l'ébauchoir en se référant sans cesse à leur croquis.

Petit à petit, jour après jour, sa création prit forme. Sa gargouille en gestation lui semblait parfois si vivante qu'il la regardait avec crainte. Il poursuivait alors sa tâche du bout des doigts, les bras tendus, comme si elle allait tout à coup s'animer et se jeter sur lui. Le temps n'existait plus lorsqu'il était ainsi absorbé, et le grincement de la porte, au retour du chanoine, le tirait brusquement de ses fantasmagories. Frère Gontran se penchait sur son œuvre, poussait quelques grommellements appréciateurs, puis passait à l'étude du trait.

Durant cette période, Colin eut l'impression que l'atmosphère du chantier se transformait insensiblement. Ce fut tout d'abord une vague morosité, une sourde appréhension à peine perceptible. Puis peu à peu elle s'installa, tout comme persiste parfois jusqu'au soir la brume légère du matin que les rayons du soleil ne sont pas parvenus à dissoudre.

Sans doute la chute de Clément y était-elle pour beaucoup. Les hommes avaient approuvé l'idée de Colin, hormis le fameux Florentin qui cherchait querelle à tout le monde. Même Odon avait daigné se délester de quelques deniers, le samedi au moment de la paie. On avait également organisé un roulement, avec l'autorisation de Maurin, pour que le blessé reçoive une visite chaque après-midi. Hélas, ceux qui revenaient de la rue des Friperies avaient la mine sombre. Clément reconnaissait à peine ses visiteurs, ne cessait de raconter des histoires fantastiques auxquelles il semblait croire dur comme fer, et s'agitait dès qu'on ne l'écoutait plus avec assez d'attention.

Un jour où c'était son tour de visite, Colin aperçut, au moment où il s'engageait dans la rue des Friperies, une silhouette claire quitter la maison du grainetier.

— Qui était la demoiselle qui est venue te voir ? demanda-t-il à son ami après l'avoir salué.

— Une demoiselle ? s'étonna Clément. Personne n'est venu !

— Pourtant, à cette heure, tu es seul ici. C'est donc bien pour toi qu'elle était là.

— À quoi ressemblait-elle ?

— Elle était longue et fine comme la flamme d'une chandelle, aussi légère que si ses pieds n'avaient pas touché terre.

— Alors c'était *elle*... Elle était là-haut, l'autre soir, peu avant que je tombe de la tour. Mais aujourd'hui, Dieu soit loué, je ne l'ai pas vue.

Clément semblait si troublé que Colin fut parcouru d'un frisson.

— Tu ne m'as jamais parlé d'elle, remarqua-t-il avec désinvolture. Qui est-ce ?

— Mais si, Colin, je t'ai parlé de la Messagère !

— La Messagère ?

— C'est une dame qui apparaît à ceux qui vont bientôt mourir. Elle ne parle pas, on ne peut la toucher, elle apparaît juste un instant et on ne la revoit plus jamais. Forcément, puisqu'on meurt peu après ! Sauf que moi, je ne suis pas mort... Elle était sur la tour, l'autre soir. Tu sais ce qu'on dit ? Que maître Aurèle – celui qui a précédé maître Béranger – l'avait aperçue le soir avant l'incendie. Le plus étrange, c'est que sur le moment on ne la reconnaît pas. On ne comprend que plus tard, quand on passe de l'autre côté... Si tu l'as vue, toi...

— Tu es sûr que tu n'es pas encore en train d'inventer un conte ? objecta Colin que son ami commençait à effrayer.

— Ce n'est pas la peine de venir me voir si tu me prends pour un menteur ! s'énerva Clément. Je t'ai tout raconté en détail, je t'ai parlé de la gargouille qui m'avait attiré là-haut et des compagnons qui essayaient de démolir la tour. Maître Béranger buvait des litres d'hydromel et frère Gontran lançait de l'huile bouillante sur les sergents du guet. Et puis il y avait des loups, des milliers de loups qui bondissaient sur les échafaudages... Ah ! Les voilà de nouveau ! De grands loups gris, des monstres énormes ! Chasse-les, Colin ! Au secours, sauve-moi !

Colin eut toutes les peines du monde à calmer le délire de son ami. Il dut inspecter la mansarde dans ses moindres recoins pour convaincre Clément qu'aucun animal féroce ne l'épiait. Il ne quitta la chambre que lorsque le blessé, épuisé, s'assoupit enfin en murmurant des paroles incompréhensibles.

Quand il sortit de la maison, une averse de grêle s'abattit sur la ville et il se mit à courir, la tête rentrée dans les épaules. Les grêlons martelaient le sol avec fracas, cliquetaient sur les toits comme de petites griffes pleines de colère. Bouleversé par le récit de Clément et par l'apparition de l'énigmatique Messagère, Colin eut soudain l'impression que des pas légers couraient derrière lui. Ce n'était pas la première fois que cela se produisait. À différentes reprises, les jours précédents tandis qu'il allait par les rues, il avait eu le sentiment d'être observé. Il n'avait jamais pu mettre un visage sur ce mystérieux guetteur, et pourtant il était convaincu de ne pas avoir été le jouet d'une illusion. Qui pouvait s'intéresser à lui ? La Messagère en robe blanche attendant son heure ? Ou un homme de chair et de sang, qui savait qu'il était le fils de maître Aurèle et qui le trouvait un peu trop curieux ?

Tout en courant, il jeta un regard rapide derrière lui. Il ne vit personne, mais il lui sembla entendre un éternuement derrière un muret. Il accéléra encore sa course et ne ralentit pas jusqu'à la loge, où les ouvriers s'étaient abrités pour laisser passer la giboulée.

C'est là qu'il apprit qu'un nouveau drame s'était produit sur le chantier. Pas à proprement parler sur le chantier, en vérité, mais à la carrière de Beaumetz, sur la rive droite de la Somme à environ trois lieues d'Amiens.

— Maître Béranger a roulé sous un chariot dans

lequel on venait de hisser un chapiteau, lui expliqua un des compagnons. Avec la menace de giboulée, les bœufs étaient comme fous, on n'a rien pu faire pour les arrêter. Le maître a les deux jambes brisées.

Colin imaginait sans peine la panique qu'avait dû déclencher l'accident. Il avait passé plusieurs journées à la carrière, il avait vu les carriers frapper sur la roche avec leurs pics, détacher d'énormes blocs et les faire remonter depuis le fond de l'excavation, suspendus à des cordes actionnées par des poulies. Après une taille sommaire, on chargeait les blocs dans des brouettes que des manœuvres portaient jusqu'aux chariots. Les accidents étaient fréquents, des roues se brisaient ou les bêtes refusaient d'avancer. C'était un spectacle assez effrayant, mais ensuite, quelle fête lorsqu'on faisait rouler les pierres jusque devant la loge et qu'on célébrait l'événement autour d'un vin chaud !

Ce soir, cependant, il n'y aurait ni vin ni chansons.

— On a beau ne pas être superstitieux, remarqua un compagnon, deux accidents en deux semaines, ce n'est pas bon signe. Ça ne se passerait pas autrement si le diable avait décidé de nous saboter la besogne.

— Ne va pas nous démoraliser, le réprimanda Maurin de Livry. C'est le hasard, rien de plus, et il n'y a même pas eu mort d'homme.

— Je ne crois pas au hasard, laissa échapper Colin.

Le choc de cette nouvelle, après sa visite à Clément, l'avait achevé. Lui aussi commençait à trouver que ces deux catastrophes coup sur coup n'étaient peut-être pas le fruit d'une simple coïncidence.

Puis, remarquant la moue irritée de l'appareilleur, le jeune garçon se reprit :

— Ce que je veux dire, c'est qu'à force de rêver d'escalader le ciel, on finit parfois par oublier la prudence.

Mais, en son for intérieur, il se dit que Clément connaissait le chantier comme le fond de sa poche, et que maître Béranger savait tenir les bêtes comme les hommes. Aucun de ces deux accidents n'eût dû se produire.

11

Le lendemain de l'accident, on travailla comme si rien ne s'était passé. Les plaisanteries furent juste un peu moins lestes, les rires légèrement moins joyeux. Mais personne n'envisageait d'annuler la petite fête qui, comme chaque année, célébrerait le retour du printemps. Elle tombait un dimanche, ce qui permettrait de faire ripailles et de déguster sans remords les délicieuses gourmandises de frère Anthelme. De son côté, Colin espérait que ces festivités lui mettraient un peu de baume au cœur.

Depuis son arrivée à Amiens, il oscillait en permanence entre enthousiasme et découragement. Le matin de la fête, après la messe, il s'attarda un long moment au pied des trois portails de la façade occidentale. Parmi les statues qui les ornaient, lesquelles étaient l'œuvre de son père ? Les anges et les prophètes, la Vierge à l'Enfant, ou le Christ du portail du Beau Dieu ? Il observa longuement le lion et le dragon écrasés par la divinité, le chien monstrueux aux oreilles pointues et à la queue de serpent... Ne ressemblaient-ils pas aux créatures des contes que son père lui narrait quand il était petit ? Dans certains visages de pierre, aussi, il lui semblait reconnaître des Chartrains dont les traits avaient pu inspirer le tailleur.

Mais il se rendait bien compte que tout cela n'était qu'illusion. Finalement, la mort ne laissait que du vide et des questions. Il avait de plus en plus de mal à se rappeler à quoi avait ressemblé son père, et il ne lui restait plus de lui que l'ébauchoir de merisier et la bague de fiançailles rapportée à sa mère. Des objets... autant dire presque rien.

Ces sombres pensées, heureusement, ne parvenaient à ternir ni sa joie de voir monter la tour nord, ni le bonheur des soirées chez frère Gontran. Cependant, à douze ans, Colin trouvait dur de vivre si loin de sa mère, sans véritable ami. Les compagnons étaient de nobles cœurs, mais la plupart avaient un abord rude et semblaient oublier qu'un jour, comme Colin, ils s'étaient sentis un peu perdus au milieu de ce grand rassemblement. La douceur féminine manquait aussi au jeune garçon. Ni la voix perçante de Cunégonde, la femme du teinturier, ni les taquineries de Colombe ne pouvaient adoucir sa solitude.

Odon, heureusement, semblait s'être amadoué. C'était un drôle de garçon, gueulard et paresseux mais sans doute moins méchant qu'il n'en avait l'air. Il intriguait Colin par ses mystérieuses allées et venues. À plusieurs reprises il était rentré très tard dans la nuit, bien après Colin, et un soir celui-ci l'avait entendu galoper dans la rue comme s'il était poursuivi. Lorsque Odon avait poussé la porte de la chambre, tout essoufflé, et que Colin lui avait demandé d'où il venait, il avait bafouillé qu'il revenait de chez son amoureuse. Mais Colin se demandait quelle jeune fille respectable pouvait accepter des rendez-vous nocturnes avec un garçon aussi peu gracieux et d'aussi peu d'avenir.

Quant aux autres apprentis, beaucoup n'étaient venus là que poussés par la nécessité ou contraints par leurs parents, et taillaient les pierres avec à peu près autant de ferveur que si on leur avait demandé de découper des lapins. Ils ne pensaient qu'à la paie du samedi, tandis que Colin rêvait de la cathédrale qu'il bâtirait un jour. Cependant il ne désespérait pas de lier amitié avec l'un d'eux. C'est pourquoi il s'efforçait d'être de tous les jeux, de toutes les fêtes, de tous les défis.

D'humeur particulièrement mélancolique ce soir-là, il goûta de nombreux mets et tâta même de quelques boissons, avec mesure cependant. Il connaissait le cidre, la bière et l'hydromel, mais il découvrit de délicieux nectars que sa mère ne l'avait jamais autorisé à essayer : poiré, cerisé et prunellé[1].

— C'est rien que des fruits ! ne cessait de répéter Odon dont les yeux gourmands luisaient comme des jaunets[2].

Après le souper, quelques hommes rassemblèrent de la paille et du fumier qui avaient été préparés dans un coin pour allumer un gigantesque feu de joie. Les convives les plus alertes se levèrent pour aller danser autour du brasier, tandis que ceux qui s'étaient copieusement rincé le gosier estimaient plus prudent de rester agrippés à leur banc.

— Une chanson ! Une chanson ! réclamèrent-ils soudain à grands cris.

Le maître mortellier quitta la table, s'avança vers le feu, le silence se fit et sa voix s'éleva dans les lueurs rougeâtres.

— Bien me plaît le gai temps de Pâques,
Qui fait feuilles et fleurs revenir,
Et me plaît ouïr le bonheur
Des oiseaux qui font retentir
Leurs chants par le bocage...

L'homme avait une voix profonde qui vous remuait jusqu'aux entrailles. Lorsqu'il eut achevé le dernier couplet, il y eut un instant de silence avant que les

---

1. Boissons fermentées fabriquées à partir des poires, des cerises et des prunelles (petites prunes sauvages).
2. Pièces d'or.

applaudissements crépitent. Colin bénit l'obscurité qui dissimulait ses larmes aux yeux de ses camarades, car c'était une des chansons que son père fredonnait lorsqu'il coupait les roses dans leur petit jardin de Chartres.

Les cruches se remirent à circuler et les conversations reprirent.

— Un denier que tu n'auras pas le cran d'aller marcher dans le feu, lança tout à coup Florentin en renversant la coupe d'Odon.

Odon bredouilla en tentant de se redresser :

— Commence par me montrer comment on s'y prend.

— Trop facile ! ricana Florentin. Je l'ai fait cent fois, c'est toi que je veux voir te rôtir la plante des pieds. Aurais-tu peur ?

— J'y vais si tu y vas, Ignorantin ! brailla Odon. Avec tout l'alcool que tu as avalé, tu vas t'embraser en un tournemain !

— Tu t'es regardé ? Viens donc un peu, qu'on sache lequel de nous deux tient le moins bien sur ses jambes !

L'œil vague, Odon se leva en indiquant du doigt un coin sombre, à l'écart de la table.

Colin vit alors Florentin glisser une main sous la table et empoigner une sorte de saucisson luisant. Il s'agissait sans aucun doute de cette arme redoutable dont il avait parfois entendu parler : une peau d'anguille vidée et remplie de sable.

Les deux garçons disparurent dans la pénombre.

Colin entendit un cri, puis des halètements. Armé comme l'était Florentin, il ne lui faudrait pas longtemps pour transformer sa victime en chair à pâté.

Colin regarda autour de lui, espérant que quelqu'un allait intervenir, mais personne ne semblait avoir rien remarqué. Si Odon avait été dans son état normal, le jeune garçon l'eût sans doute laissé se sortir seul de ce traquenard. Mais il jugeait indigne la façon dont Florentin avait profité de sa faiblesse, et la solidarité entre apprentis n'était pas pour lui un vain mot.

Avisant un pic qu'un tailleur avait laissé traîner, il en entoura l'extrémité avec un des chiffons qui avaient servi pour apporter les plats chauds. Puis, rapide comme l'éclair, il renversa sur le chiffon tout le contenu d'une cruche d'eau-de-vie et se précipita vers le feu. Dès qu'il en approcha l'étoffe, celle-ci s'enflamma comme une torche. Alors Colin se précipita vers l'endroit où les deux garçons se battaient et se jeta sur Florentin en hurlant :

— Au feu ! Éloigne-toi, Satan, ou tu iras en enfer expier tes péchés !

La surprise eut l'effet escompté. Florentin se retourna, vit les flammes lécher sa cotte et fit un bond de côté. Odon, qui se trouvait en fâcheuse posture, eut assez de présence d'esprit pour s'esquiver et aller s'écrouler sur un banc.

— Satan toi-même, espèce de gueux ! hurla Florentin à l'adresse de Colin. Tu n'es qu'un propre-à-rien, un traître !

Colin n'était pas bien gros, mais son arme de feu lui

donnait une allure redoutable. Et, comme son acte de bravoure avait fini par attirer l'attention, Florentin pouvait difficilement régler son sort à plus petit que lui. Il s'éloigna dans la rue d'une démarche faussement indifférente, après s'être retourné une dernière fois pour crier :

— Tu n'es qu'un mauvais coucheur ! Tu me le paieras !

Mauvais coucheur, c'était l'injure suprême, c'était ce qu'on disait d'un maçon incapable de monter un mur droit. Mais ce n'était pas cela qui inquiétait le plus Colin. Lui qui rêvait de se faire des amis, il venait de s'attirer l'inimitié d'un compagnon qui pesait deux fois plus lourd que lui.

— Je regrette chaque jour qu'on l'ait admis comme compagnon, déclara Maurin un instant plus tard, tandis qu'Odon et Colin buvaient de grandes rasades d'eau fraîche. Je ferai mon possible pour qu'il vous laisse tranquilles désormais.

— Tu m'as peut-être... peut-être sauvé la vie, Chét... Colin ! bafouilla Odon en tapant sur l'épaule de Colin. Amis ?

12

Odon et Colin regagnèrent la rue du Beffroy d'une démarche vacillante, accrochés l'un à l'autre et laissant échapper de petites plaintes.

— J'ai tellement mal au cœur... j'ai l'impression... d'avoir... du hachis de cochon à la place de l'estomac...

— Ce maraud de... d'Ignorantin m'a vilainement caressé les côtes... il me le paiera !

Odon avait la voix aussi pâteuse que de la bouillie de sarrasin. Il ne pouvait guère faire peur qu'aux chats égarés qui traînaient dans la rigole à la recherche d'un rongeur à se mettre sous la dent.

— Dans l'état... où tu es, bégaya Colin, tu seras... obligé de lui faire crédit !

Puis il partit d'un rire interminable.

— C'est bientôt fini, ce tapage ? brailla la voix de Cunégonde lorsque les deux garçons entreprirent de gravir l'escalier qui conduisait à leur chambre.

— C'est le printemps ! beugla Odon.

— Et alors ? Il n'y a pas de printemps pour les honnêtes gens qui se lèvent tôt !

— Sûr que pour vous le printemps n'est qu'un lointain souvenir ! répliqua Odon, ce qui déclencha de nouveau l'hilarité de Colin.

Les deux garçons s'affalèrent sur leurs paillasses sans même prendre la peine de retirer leur cotte.

— Il m'a tué ! geignit Odon. Seigneur, ayez pitié de moi, je souffre !

Il ne souffrit cependant pas très longtemps car, lorsque Colin lui demanda s'il était certain de ne pas avoir d'os brisé, il obtint pour toute réponse des ronflements retentissants.

Colin était sur le point de sombrer à son tour dans le sommeil lorsque, soudain, il eut l'impression que sa paillasse s'était élevée au-dessus du sol et l'emportait à toute vitesse à travers la chambre, le faisant rebondir d'un mur à l'autre. Son crâne résonnait comme des cloches de bronze. Il tenta de fixer son regard sur le carré un peu plus clair de la fenêtre, mais celui-ci s'élargit, s'agrandit, devint circulaire et se mit à tournoyer à toute vitesse, aspirant Colin hors de la maison. Comme dans les récits de Clément, des personnages grotesques entreprirent de danser une sarabande infernale autour de lui. Les chanoines du chapitre ricanaient en s'empiffrant de civets de lièvre et de chapons farcis. Maître Béranger, monté sur des échasses gigantesques, allait chatouiller les statues des portails en éclatant d'un rire de tonnerre, et Odon, à force de manger, devint si gros qu'il finit par éclater comme un ballon dont les morceaux furent projetés au sommet de la tour en construction. Colin, qui se sentait aussi affamé que s'il avait jeûné durant une semaine, s'approcha de la table où les moines faisaient ripaille. Cependant, lorsqu'il fut près d'eux, il se rendit compte qu'il n'y avait là ni frère Gontran ni frère Anthelme, mais des diables revêtus de tuniques brunes le regardant en grinçant des dents.

— Vois ce que tu as fait, dit l'un d'eux en levant un index squelettique pour désigner la cathédrale.

Colin leva les yeux. Notre-Dame était en feu.

— Tu nous le paieras ! grinça un autre.

Il ressemblait à s'y méprendre au proviseur, sauf que son long nez était constitué de la lame d'un poignard et que ses yeux n'étaient que deux orbites creuses.

— Tu vas devoir expier tes péchés, tu vas aller en enfer !

— En enfer ! En enfer ! crièrent en chœur tous les diables en se saisissant de Colin.

Il fit un bond pour leur échapper et se mit à courir à perdre haleine, poursuivi par leurs vociférations et par l'odeur de fournaise qui émanait de la cathédrale. Derrière lui cliquetaient les os de ses poursuivants, leurs dents s'entrechoquaient tandis qu'ils le menaçaient des pires tourments. Colin dévala un escalier qui menait à la rivière. Peut-être l'eau arrêterait-elle ces forcenés ? Mieux valait encore se noyer qu'être rattrapé par leurs griffes squelettiques.

Cependant il ne parvint jamais jusqu'à la rivière, car il buta contre une pierre et tomba de tout son long.

— Enfin ! hurlèrent les diables. Le voilà qui trépasse !

— Mais enfin qu'est-ce qui se passe ? demanda une voix.

C'était la voix d'Odon. Et Colin n'était pas au bord de la Somme, mais allongé en travers de la chaussée, une douleur lancinante dans les tibias.

— J'ai mal ! gémit-il. Qu'est-ce que je fais ici ?

— J'allais justement te le demander, répliqua Odon. Tu t'es levé de ta paillasse d'un bond, tu m'as secoué comme un prunier et tu as pris la poudre d'escampette en criant que Notre-Dame était en feu.

Le sommeil semblait lui avoir rendu ses esprits, il ne bafouillait plus du tout.

— Quant à savoir pourquoi tu as si mal, c'est simple : tu t'es jeté droit dans les chaînes.

Lorsque les Amiénois étaient endormis, les rues de la ville se transformaient parfois en un véritable coupegorge, parcouru par des malandrins en quête de mauvais coups. Pour faire obstacle à la fuite des voleurs et aux brigands à cheval, les sergents du prévôt[1] tendaient des chaînes en travers des rues. Colin, sorti de

---

1. Officier de police.

100

la maison du teinturier comme un somnambule, ne les avait évidemment pas vues.

— J'ai eu un cauchemar atroce, gémit le jeune garçon. J'ai tellement mal... Je ne pourrai jamais me relever !

— Et en plus tu saignes, ajouta Odon. Si tu restes comme ça, ça risque de tourner en gangrène.

— Me voilà rassuré !

— Seulement je me vois mal réveiller la Cunégonde, après le numéro qu'on lui a fait tout à l'heure. Et puis tu as couru comme un lapin, on est loin de la rue du Beffroy, ça m'étonnerait que tu puisses marcher jusque là-bas.

Dans la quasi-obscurité, sa grosse figure ronde ressemblait à une lune triste.

— J'ai une idée ! suggéra-t-il tout à coup. On va aller frapper chez dame Ermeline.

— Dame Ermeline ?

— La sœur de l'apothicaire. Son frère est aimable comme une porte de prison, mais elle se couperait en quatre pour rendre service. Et puis elle connaît les simples[1], elle saura te soigner. C'est à trois pas d'ici.

En réalité, il fallut multiplier les trois pas d'Odon par vingt ou trente. Cette marche douloureuse ressembla pour Colin à un véritable chemin de croix. Il fallut ensuite frapper et supplier durant un bon moment avant que la porte de l'apothicaire s'entrouvre devant une jeune femme au visage de madone.

---

1. Plantes médicinales.

— Tu as de la chance que j'aie reconnu ta voix, dit-elle sévèrement à Odon, sinon je n'aurais jamais ouvert ma porte à pareille heure. De la chance, aussi, que mon frère soit absent, il m'aurait interdit de me lever ! Qu'est-ce qui vous arrive donc, à tous les deux ? Encore une indigestion, Odon ? Je t'ai pourtant dit ce qu'il fallait faire pour ne plus être malade, ou plutôt ce qu'il fallait éviter !

Lorsque Odon eut expliqué ce qui était arrivé à Colin, la jeune femme fit traverser la boutique aux deux garçons et les installa dans la pièce qui se trouvait à l'arrière. C'était à la fois une réserve et une salle de comptes, agrémentée d'une grande table et de deux faudesteuils[1] confortables.

— Laisse-moi examiner ta blessure, ordonna-t-elle à Colin après l'avoir fait asseoir. Bon, je ne pense pas que tu en mourras. Je vais nettoyer ce beau gâchis, te faire un pansement et demain tu auras tout oublié.

Elle lava les plaies avec du vin, puis prépara un onguent à base de blanc d'œuf qu'elle étala doucement sur les plaies.

— Ça ne doit pas être bien agréable, mais tu sembles brave. Je ne t'ai encore jamais vu par ici. Est-ce que par hasard tu ne travaillerais pas sur le chantier ? Je le vois à tes mains, elles sont pleines de cals.

D'une voix qu'il s'efforçait de raffermir et en évi-

---

1. Fauteuils, souvent pliants.

102

tant avec soin de regarder ses tibias, Colin expliqua qu'il avait été embauché deux semaines auparavant comme apprenti tailleur de pierre.

— Deux semaines sans blessure ni accident, tu ne t'en sors pas trop mal, plaisanta-t-elle. Et maintenant, que décide-t-on ? Vous sentez-vous en état de rentrer chez vous ? Les rues ne sont guère sûres à cette heure pour des gamins comme vous, et si jamais vous croisez les sergents du guet...

— Il y a longtemps que je ne suis plus un gamin, rétorqua Odon.

— Sauf certains soirs, n'est-ce pas, quand ton estomac se rappelle à toi ! J'ai la vague impression que tu n'as pas arrosé le printemps avec de l'eau claire... Je veux bien vous prêter le lit de mon frère. Mais il ne faudra rien lui en dire lorsqu'il reviendra.

Les garçons acceptèrent volontiers. Elle les conduisit au premier étage, dans une chambre de bonne taille où trônait un lit clos qui sentait bon la lavande.

— Vous avez tout ce qu'il faut, dit encore la sœur de l'apothicaire en leur indiquant le pot de chambre et la perche fichée dans le mur pour suspendre les vêtements. Comptez sur moi pour vous réveiller à temps demain matin... c'est-à-dire tout à l'heure ! Dans un instant je vous monterai une tisane d'angélique. C'est un excellent calmant pour les estomacs un peu trop remplis.

Et sur un petit rire elle quitta la chambre.

— Tu la connais bien ? demanda Colin. À l'entendre, elle passe son temps à te soigner.

— J'ai parfois de petits ennuis, admit Odon.

— Ce n'est pourtant pas ce qu'on mange avec les tailleurs qui peut te donner des indigestions.

— C'est toi qui le dis, marmonna Odon en s'affalant sur le lit.

Il y avait là encore un mystère. Où Odon se gavait-il assez pour se rendre malade ? Son amoureuse était-elle donc une extraordinaire cuisinière ?

— Pourquoi tu as fait ça, Odon ? demanda encore Colin.

— Je dors ! répliqua ce dernier en s'appliquant à ronfler bruyamment.

— Pourquoi est-ce que tu n'es plus comme avant avec moi ?

Les ronflements cessèrent.

— Tu as affronté l'infâme Florentin pour moi. Tu sais, quand tu es arrivé chez le teinturier avec tes airs proprets et ton joli petit minois, j'ai pensé que tu ne tiendrais pas deux jours sur le chantier... et surtout que tu ferais le fier avec moi. À mon âge je devrais déjà être compagnon, alors je n'aime pas trop ceux qui me font remarquer que je ne vaux pas grand-chose... Et je me suis dit aussi que toutes les filles allaient s'amouracher de toi, et ça m'a agacé.

— Puisque tu as une amoureuse, ça n'a pas d'importance, objecta Colin. Et ce n'est pas vrai, que tu ne vaux pas grand-chose. Ce soir, tu aurais pu rester couché au lieu de me porter secours.

Les ronflements reprirent.

Colin tourna le dos à Odon et ferma les yeux. Peut-être s'était-il fait un nouvel ami. Si seulement celui-ci n'avait pas senti aussi fort le vin !

13

Se réveiller dans un moelleux lit clos en entendant des pas légers aller et venir au rez-de-chaussée ressemblait un peu à un rêve. Mais la vie et les rêves font rarement bon ménage. En reprenant ses esprits, Colin se rappela quelques réalités désagréables : on était le premier jour de la semaine, la lumière qui pénétrait dans la chambre indiquait que tierce était passée depuis un moment, et manquer une journée de travail signifiait des deniers en moins, peut-être même un renvoi séance tenante.

Une autre constatation acheva de le démoraliser : lorsqu'il voulut se lever, il eut l'impression d'avoir deux barres de fer enfoncées dans les tibias. En admettant que Maurin accepte de le garder, chaque coup de

taillant allait raviver ses douleurs. La semaine promet-
tait d'être joyeuse.

Il posa prudemment ses pieds sur le plancher, se
leva et s'étira avec mille précautions. Il entendit alors
des pas rapides gravir l'escalier, et la porte s'entrouvrit.

Dans la lumière du matin, dame Ermeline lui parut
encore plus belle que la veille. Elle avait un sourire très
doux, que Colin n'avait guère eu l'occasion de remarquer lors de son arrivée nocturne.

— Voilà que tu te réveilles enfin ! On a eu beau te
secouer comme un âne qui refuse d'avancer, pas
moyen de te faire ouvrir l'œil ! Odon m'a promis de
plaider en ta faveur auprès de Maurin. Quant au Seigneur, je suis sûr qu'il te pardonnera. Ce que j'aimerais savoir, c'est combien de barriques de vin tu avais
avalées pour être dans cet état.

— Je n'ai presque pas bu, c'est ma chute qui m'a
mis à l'envers.

Le petit sourire de dame Ermeline se teinta d'ironie.

— Bien sûr, ce ne peut être que la chute, où avais-
je la tête ? Une coupe de lait parfumé au miel de rose
te tenterait-elle ?

Colin, qui ignorait même qu'il existait du miel de
rose, s'en délecta. Dame Ermeline compléta la colla-
tion en lui présentant un drageoir d'étain rempli de
fruits secs : des amandes et des noisettes, bien sûr, mais
aussi des fruits exotiques qu'on ne trouvait que dans

les familles aisées, dattes et pistaches venues des pays lointains.

Lorsque Colin fut rassasié, la jeune femme posa une main sur son front.

— Tu n'as pas de fièvre, Dieu soit loué. Pourtant, tu n'as cessé de délirer. Des cauchemars ?

— Je n'en ai aucun souvenir, s'étonna Colin.

— Du moins n'as-tu pas troublé le sommeil de ton camarade. Il a ronflé comme un sonneur, on devait l'entendre jusqu'aux portes de la ville. C'est aussi bien ainsi. Il n'aura pas entendu tes longs discours.

— Mes discours ?

La sœur de l'apothicaire eut de nouveau ce petit rire qui ressemblait à un arpège de luth, puis elle répondit à la question de Colin par une autre question.

— Il serait peut-être temps de te présenter.

— Je m'appelle Colin.

— Cela, je le sais, Odon me l'a dit. Mais ton nom ?

— On m'appelle Colin Le Joyeux.

Elle sourit. Dieu qu'elle était belle !

— Il est vrai qu'avec tes cheveux aussi sombres que les ailes d'un corbeau, te nommer Colin Le Blond aurait pu prêter à rire. Je suppose que ta mère est aussi brune que toi, car ce n'est pas maître Aurèle, avec ses cheveux de soleil, qui a pu te léguer pareille tignasse.

Colin se sentit devenir aussi rouge que les carreaux de terre cuite qui pavaient le sol.

— Ne sois pas inquiet, ajouta dame Ermeline. Moi seule t'ai entendu. J'ignore quel était ton cauchemar, mais tu ne cessais de répéter quelque chose comme :

Mon père n'était jamais saoul, ce n'est pas lui qui a mis le feu à la maison du chanoine ! Il est innocent ! Quelqu'un l'a tué ! Qui était ce *quelqu'un,* selon toi ?

Colin fit une dernière tentative pour dissimuler le fond de ses pensées.

— Je n'en ai pas la moindre idée. Qu'est-ce qui vous donne à croire, d'ailleurs, que je parlais de maître Aurèle ?

— Ne me prends donc pas pour une sotte. Odon m'a dit que tu venais de Chartres, et, si tu n'as pas la toison blonde de ton père, la petite fossette qui orne le milieu de ton menton est bien la même. Sans parler de ton sourire.

Colin comprit qu'il était inutile de nier.

— Personne ne sait que je suis son fils, déclara-t-il en regardant dame Ermeline droit dans les yeux. Ce n'est pas que j'en sois honteux, bien au contraire, mais j'ai senti que certains ne l'aimaient pas, or je voulais à tout prix être embauché.

— Pourquoi ? Pourquoi avoir parcouru tant de lieues pour venir jusqu'ici ?

— J'avais grande envie de voir ce qu'il avait bâti, j'espérais rencontrer des gens qui me parleraient de lui. Et qu'est-ce que j'entends répéter partout ? Qu'il n'était pas comme les autres, qu'il était fier et de mauvais caractère. Mais ce n'est pas vrai, il n'y avait pas d'homme meilleur que lui.

— Tu as raison. En tout cas, moi, je n'en ai pas connu de meilleur.

— Alors pourquoi est-ce qu'il est mort ?

Colin cligna des yeux à plusieurs reprises pour tenter de dissimuler ses larmes.

— Pourquoi meurt-on ? soupira dame Ermeline. Peut-être arrive-t-il un moment, dans l'existence, où on a accompli tout ce qu'on devait accomplir.

— Vous savez bien que ce n'est pas vrai ! Mon père aurait pu sculpter des merveilles pendant très longtemps, peut-être même un jour aurait-il dessiné une cathédrale ! C'est à se demander si Dieu est aussi bon qu'on nous l'a enseigné...

— Tu n'as pas le droit de penser cela, Colin. Nous ne sommes pas en mesure de juger des décisions de Notre Seigneur.

Colin n'hésita qu'un instant. Puis, convaincu qu'il pouvait avoir confiance en cette femme, il dit à voix basse :

— Peut-être d'ailleurs Notre Seigneur n'est-il pas pour grand-chose dans cet incendie...

— Qu'entends-tu par là ?

— Ce que j'ai crié dans mes cauchemars : cet incendie n'était pas forcément un accident. Peut-être que quelqu'un voulait la mort du tailleur de pierre !

— Je n'en crois rien, répliqua fermement la jeune femme. Qui songerait à tuer d'une manière aussi horrible ?

— Un feu ne s'allume pourtant pas tout seul !

— Ce ne serait pas la première fois. Il faut si peu de chose dans ces maisons de bois, une chandelle oubliée, un feu mal éteint...

— C'était l'été, objecta Colin. Il n'y avait sûrement pas de feu dans la cheminée.

— Mais la nuit finit par tomber, même en été, et ton père aimait veiller.

— Il était toujours très prudent.

— Il a pu s'assoupir, et perdre conscience lorsque la fumée a envahi sa chambre.

Colin sentit que cette conversation irritait dame Ermeline. Ses traits s'étaient durcis, elle semblait agacée. Puis, tout à coup, il comprit pourquoi : ce n'était pas l'irritation qui lui voilait le regard, c'était la tristesse !

— Si vous savez qu'il aimait veiller, c'est que vous l'avez bien connu, remarqua-t-il avec émotion.

Elle prit sa tête dans ses mains et Colin crut qu'elle pleurait. Puis elle se redressa vivement et répondit :

— Oui, je le connaissais. Il venait souvent à la boutique de mon frère. Sa passion pour la cathédrale le rongeait, il dormait mal et ne se nourrissait pas assez. Je lui préparais des tisanes pour l'aider à rester vaillant, et nous parlions. De la cathédrale, de ses rêves, de la vie... Je n'oublierai jamais ce dimanche matin où j'ai senti l'odeur du feu en me rendant à la messe, et où j'ai appris... C'était le lendemain de la Saint-Jean et il y avait eu fête. Un peu comme hier soir. Sauf que, cette fois-là, toute la ville y participait. Décidément, les fêtes ne vous portent pas chance, dans ta famille... (Elle se tut un instant, le regard perdu dans ses souvenirs.) On avait allumé un feu gigantesque, on avait dansé et on avait bu. Peut-être les mauvaises langues ont-elles raison, après tout, peut-être ton père avait-il eu envie d'oublier durant quelques heures qu'il était loin de ceux qu'il aimait... Pourtant je n'arrive pas à le croire. J'étais de la fête, moi aussi, et ton père était comme les autres jours : rêveur et paisible. S'il avait trop bu, je m'en serais aperçue.

— Alors, vous voyez bien ! s'écria Colin. Mais, si lui n'avait pas bu, quelqu'un d'autre peut-être... Souvent, le vin donne de l'audace.

La jeune femme hocha la tête lentement, pensive.

— Je sais. Au fond tu as peut-être raison, et d'ailleurs ton père lui-même...

— Quoi, mon père ?

— Les hommes sont parfois jaloux, Colin. Et la jalousie peut mener loin. Mais je ne veux plus reparler de tout cela, je ne veux plus y penser, cela me met trop de peine dans le cœur.

— Cela ne vous trouble donc pas que quelqu'un ait pu causer sa mort et rester impuni ?

— Et quand bien même ce serait ? Ce n'est pas à nous de rendre justice. Dieu connaît la vérité, il saura la faire éclater si c'est ce qu'il désire.

— On pourrait peut-être l'aider un peu.

— N'y songe pas, Colin. Tu es trop jeune, tu ne connais pas assez la vie et les hommes, et ton père n'aimerait pas que tu prennes des risques.

— De toute façon il n'est plus là pour me l'interdire. Et, s'il était à ma place, je suis certain qu'il n'aurait pas peur de prendre des risques.

La jeune femme se leva pour desservir la table.

— S'il était à ta place, il ferait surtout en sorte de guérir très vite pour retourner travailler à la cathédrale. Il ne vivait que pour elle, tu sais.

— Moi aussi, et même...

Colin s'interrompit net. Il avait failli parler de ses soirées avec frère Gontran, mais il était contrarié que dame Ermeline le considère comme un gamin, et révolté qu'elle se désintéresse des circonstances exactes de la mort de son père alors qu'elle l'avait connu et apprécié. Il n'allait certainement pas lui confier ses secrets.

Pourtant, lorsqu'il quitta la maison de l'apothicaire en promettant d'y revenir, la vie lui semblait plus légère.

14

Colin se rendit à la cathédrale un peu avant le repas de midi, espérant que Maurin passerait l'éponge sur son absence du matin. Ce que fit en effet l'appareilleur, bien qu'il fût de fort méchante humeur. Peut-être avait-il, comme beaucoup, abusé du contenu des cruches !

— Je n'aime pas ça, déclara-t-il à Colin. Depuis quelque temps, rien ne va plus. Ça a commencé avec le gamin mortellier, puis il y a eu maître Béranger, ensuite cette bagarre d'hier soir, et toi qui te blesses... Jamais on n'a eu autant d'ennuis en si peu de temps. C'est comme un ver qui se serait glissé dans un fruit. Il va bien falloir qu'on le trouve, ce ver !

Il sembla à Colin que Maurin le regardait avec méfiance, ce qui était d'ailleurs assez naturel puisque les ennuis avaient débuté aussitôt après son arrivée en ville. Colin était de plus en plus persuadé qu'un scélérat avait mis le feu à la maison de la rue des Gantiers, et qu'il cherchait maintenant à l'effrayer pour le pousser à quitter la ville. C'était bien mal le connaître ! Cela ne faisait au contraire que renforcer sa détermination de découvrir la vérité.

Dame Ermeline l'avait confirmé, beaucoup jalousaient le maître tailleur de pierre. À commencer, sans doute, par maître Béranger qui avait pris sa place après sa disparition. Seulement Colin imaginait mal le nouveau maître se jetant lui-même sous les roues d'un chariot pour se briser les jambes. Avait-il été victime, lui aussi, d'une tentative d'assassinat ? Tous les maîtres allaient-ils mourir jusqu'à ce qu'un ambitieux obtienne enfin le poste qu'il désirait ?

Tout en s'acharnant sur son bloc de pierre, Colin essayait d'énumérer les suspects possibles. Il en voyait partout, aussi bien sur le chantier qu'à l'extérieur. Combien de fois, en traînant par les rues, n'avait-il pas croisé des hommes à la mine patibulaire ? Sa mère ne cessait de le répéter, la foule des villes était un refuge idéal pour les criminels. Un vaurien avait fort bien pu tenter de détrousser le père de Colin, avoir été pris sur le fait et être revenu se venger de son échec.

Peu après vêpres, l'appareilleur réunit une partie des ouvriers pour organiser la journée du lendemain.

— En fin de matinée, il y aura une arrivée de

pierres de la carrière. Ce sont celles qui doivent monter au niveau des fenêtres hautes. Il reste encore assez de temps pour mettre les poulies en place dès ce soir. Valentin, Gaspard et Augustin, vous vous en chargez. Demain, vous vous placerez en haut pour les attraper. Il faudra être assez nombreux, au pied de la tour... Je compte sur Odon, Arthur, Florentin, Gauvin, Colin...

Les préparatifs se prolongèrent jusqu'à l'angélus.

— Tout le monde en bas ! hurla alors l'appareilleur.

L'ordre était superflu. Au premier tintement de cloche, chacun s'étirait en soupirant de soulagement et dégringolait prestement des échafaudages. On nettoyait les outils, on les rangeait, les maçons se lavaient dans de grandes auges de pierre. L'odeur de la soupe de pois se répandait et faisait saliver les affamés. La lassitude s'effaçait vite derrière la bonne humeur et la satisfaction d'une journée bien remplie.

— Je suis mort, soupira Odon.

Florentin lui lança un regard noir.

— Si seulement tu disais vrai !

— Suffit, vous deux, grommela un compagnon. La peste soit...

Il ne termina pas sa phrase.

— Tu as dit ? demanda Florentin en l'attrapant par l'épaule.

Mais il s'avéra que la peste ne le concernait pas. Le compagnon venait simplement de recevoir une crotte de pigeon sur le crâne. Tout allait de travers, d'ailleurs.

Gauvin avait brisé son maillet, et Gaspard avait égaré le bracelet d'étain auquel il tenait tant.

— Ça ne serait pas arrivé si tu ne faisais pas le précieux, lui fit remarquer Valentin. Quelle idée, de travailler sans retirer ses bijoux !

Gaspard n'aimait pas qu'on lui chatouille l'amour-propre. Il s'approcha de Valentin en roulant des épaules.

— À propos de bijoux, claironna un apprenti, j'en ai une bien bonne à vous raconter.

Gaspard était susceptible, mais il aimait les bonnes plaisanteries. Il en oublia le malheureux Valentin.

— Raconte toujours !

— L'abbé Suger, de Saint-Denis[1], prenait toujours soin de couvrir ses mains de bagues avant de recevoir de riches visiteurs. Devant eux, il les retirait une à une en disant qu'il en faisait don pour la construction de l'église. Ses invités se croyaient obligés d'en faire autant. Après quoi, une fois tout le monde parti, le père Suger remettait ses bagues et recommençait avec les suivants.

— Il n'y a pas plus roublard que les abbés !

— Si, il y a les appareilleurs !

Heureusement, Maurin n'entendit pas l'éclat de rire qui salua cette boutade, car il était remonté s'assurer que personne ne traînait sur les échafaudages.

Mais la morosité réapparut au cours du souper,

---

1. Abbaye proche de Paris, construite au XIIe siècle, qui abrite les tombeaux des rois de France.

comme une mauvaise odeur dont on ne parvient pas à se débarrasser.

Ce soir-là, Colin n'écouta pas un mot des discours de frère Gontran. Il tentait de se remémorer sa conversation avec dame Ermeline.

— Qu'est-ce qu'un mouton ? demanda soudain le chanoine.

Colin sursauta. Bien que frère Gontran eût les yeux fixés sur une araignée qui se risquait hors de la cheminée, c'était certainement à lui qu'était destinée cette question.

— Un mouton ? bredouilla-t-il. Mais il n'y a pas de moutons sur le chantier !

Le chanoine se redressa et croisa les bras en riboulant des yeux.

— Tu penses sans doute à ce stupide animal bouclé qui vient brouter jusque dans nos jardins ? Où es-tu donc, ce soir ? Dans la lune ? Je t'ai expliqué il y a un instant qu'un mouton était une lourde masse qu'on élève à l'aide d'un câble fixé sur une poulie, et qui permet...

Colin n'écouta pas la suite. Il venait enfin de se rappeler à quel moment précis dame Ermeline avait commencé à admettre que la mort de maître Aurèle était peut-être suspecte. C'était juste après avoir remarqué que les fêtes semblaient porter malheur au père comme au fils. Elle avait raison. Comment Colin n'avait-il pas été frappé plus tôt par cette bizarrerie ? La veille, alors qu'il avait bu fort peu d'alcool, il était rentré rue du Beffroy en titubant, prêt à rendre tout ce qu'il avait avalé. Une fois couché, il avait fait des cauchemars assez effroyables pour le pousser à descendre dans la rue tout endormi. Et, au matin, dame Ermeline et Odon réunis n'avaient pas réussi à le tirer de son sommeil, comme s'il avait avalé un narcotique.

Et si la même chose était arrivée à son père ? Si, lors de la Saint-Jean, on avait versé quelque chose dans sa coupe pour qu'un sommeil anormalement profond l'empêche de sentir l'odeur de brûlé qui envahissait peu à peu sa chambre ?

— Je crois que ce sera tout pour ce soir, décréta frère Gontran. L'arrivée du printemps semble t'avoir rendu totalement stupide. Rentre vite et passe une bonne nuit, mon jeune ami.

Soulagé, Colin s'éloigna de la maison du proviseur en marchant d'un bon pas malgré ses tibias endoloris. Un chat qui jaillit d'une maison en miaulant lui fit pousser un petit cri d'effroi et, lorsque dans la pénombre il entendit quelqu'un le dépasser et reconnut le cracheur de feu au visage difforme, il ne put s'empêcher de se signer[1].

Cependant, s'il croyait retrouver la sérénité en regagnant la maison du teinturier, il se trompait.

Odon n'était pas encore rentré lorsqu'il poussa la porte de leur chambre. Il faisait une chaleur étouffante et une légère odeur de transpiration flottait dans la pièce. Colin, qui tenait à bien dormir, décida de reta-

---

1. Faire le signe de croix.

per sa paillasse, mise sens dessus dessous par son agitation de la nuit précédente.

Ensommeillé, il se dépêchait d'aérer les brins de paille pour la rendre plus moelleuse, lorsqu'il sentit tout à coup une bosse, comme si un caillou, ou plutôt un fruit, s'était trouvé là. Intrigué, il écarta la paille et découvrit quelque chose qui ressemblait à une racine et qui présentait une forme allongée et irrégulière, rappelant vaguement une silhouette humaine en réduction.

Il comprit tout de suite de quoi il s'agissait. Il n'en avait jamais vu en réalité, mais les amies de sa mère avaient souvent évoqué cet objet magique utilisé pour jeter des sorts. C'était la racine d'une plante qu'on trouvait surtout dans les régions ensoleillées, mais qu'on pouvait aussi se procurer ailleurs : la mandragore, réputée pour ses propriétés vénéneuses.

Le cœur battant, Colin la retira de la paillasse en se promettant de la jeter au feu. Désormais, le doute n'était plus possible : quelqu'un, à Amiens, lui voulait du mal. Et cette personne, qui ne pouvait être que l'assassin de maître Aurèle, n'aurait de cesse d'avoir éliminé le fils du tailleur de pierre.

15

La fatigue aidant, il dormit cependant comme une souche. Mais il se réveilla bien avant les premières lueurs du jour. Il se leva avant qu'Odon ait entrouvert un œil et descendit dès qu'il entendit tempêter la voix de Cunégonde. Les teinturiers se rendaient toujours de très bonne heure à leur atelier au bord de la Somme. Après leur départ, Colombe mettait de l'ordre dans la pièce principale, répandait des jonchées de thym sur la terre battue, allait chercher de l'eau à la fontaine, tout cela en chantonnant à mi-voix.

— Je vous salue, jolie Colombe, dit Colin en se glissant derrière elle.

Il sentit ses oreilles devenir aussi brûlantes que des

oublies sortant de la friture. C'était bien la première fois de sa vie qu'il se risquait à flatter une fille, mais il devait en passer par là s'il voulait avancer dans son enquête.

— Je *te* salue, gentil Colin, dit-elle en insistant sur le *te*.

— Aurais-tu par hasard vu quelqu'un se glisser dans ma chambre, hier ou les jours passés ?

Les yeux de Colombe brillèrent.

— Une jolie demoiselle, peut-être ?

— Pas forcément. J'ai dit *quelqu'un* !

La jeune fille eut une moue boudeuse.

— Pourquoi cette question ? On t'a volé quelque chose ?

— Ce serait plutôt le contraire.

— Tu es bien mystérieux... De toute façon, hier j'ai travaillé toute la sainte journée avec mes parents. Une commande de draps pour le couvent des dominicains, ma mère ne savait où donner de la tête. Tu sais comment elle est, quand elle est affairée.

— Et les jours précédents ?

Colombe croisa les bras et se redressa avec impertinence.

— Donnerais-tu à entendre que je vais baguenauder dans la rue en laissant la maison ouverte à tous les vents ? Que je ne ferme pas la fenêtre de ma chambre pour que mon amoureux puisse s'y glisser ?

— Je n'ai jamais remarqué qu'il faille montrer patte blanche pour pénétrer dans la maison, rétorqua Colin.

Mais n'y pense plus, de toute façon il est temps que je parte travailler.

— Et Odon ? Il n'y va pas ?

— Il dort encore. Veux-tu le réveiller ?

Colombe baissa le nez d'un air boudeur.

— Je vais voir, il se pourrait bien que j'oublie.

Cette fille était mignonne mais exaspérante. Bien entendu, elle *oublia* de réveiller Odon, qui ne se présenta pas au chantier. Heureusement, son absence passa inaperçue car Maurin de Livry était en grande conversation avec le maître d'œuvre lorsque les ouvriers reprirent le travail. Celui-ci hochait la tête, son long visage pâle encore plus sombre que d'habitude. Tout en travaillant, Colin l'observait en se posant la question qui tournait dans sa tête chaque fois qu'il croisait quelqu'un : et si c'était lui ? Renaud de Cormont avait-il allumé l'incendie ? Impossible. Tout le monde le disait d'une droiture irréprochable. Et puis aucun maître d'œuvre ne se fût abaissé à un tel crime. Pourquoi, d'ailleurs, tuer quelqu'un dont il pouvait se débarrasser en demandant simplement au chapitre de le renvoyer ?

En fin de matinée résonna un tintamarre de roues, de claquements de fouets et de cris. Le cortège de chariots apportant les pierres apparut au bout de la rue Saint-Michel, environné d'un nuage de poussière blanche. Les tailleurs abandonnèrent leurs outils pour participer au déchargement. Les hommes les plus costauds allaient s'employer à faire basculer les énormes blocs de pierre pour les placer sur des civières qu'on hisserait à l'aide des poulies installées la veille.

Cette tâche exigeait un effort immense, presque surhumain. Seule le rendait possible la vision de la cathédrale achevée, qui aiguillonnait les énergies. Dans de tels moments, Colin avait l'impression que son cœur devenait immense, aussi grand que la vaste nef, et qu'il volait plus haut que la plus haute des tours. Pourtant, ce matin-là, une ombre ternissait sa joie, et il n'était pas le seul. Les hommes se tenaient à distance des bœufs et nul ne se risquait à enfreindre les ordres de l'appareilleur. Celui-ci ne cessait de regarder de tous côtés et de proférer ses directives d'une voix sèche. À un moment, il se tourna vers Renaud de Cormont qui observait la scène, et Colin crut voir passer dans son regard une sorte d'appréhension.

Malgré tout, le jeune garçon ne voulait rien manquer de ces moments grandioses. C'était fabuleux de voir s'élever péniblement, pouce par pouce, ces blocs pesants et grossiers qui se transformeraient en une architecture légère et lumineuse.

— Ça va lâcher ! cria soudain quelqu'un.

Le bloc se balançait, semblait hésiter comme un funambule en rupture d'équilibre.

— Arrière tous ! hurla l'appareilleur.

Tout le monde recula précipitamment de plusieurs pas dans une bousculade effrénée. Il était temps, la corde avait cédé et le bloc dégringola aussi brutalement qu'un vautour sur sa proie. La poussière vola de toutes parts, tout le monde se mit à tousser et à cracher, mais nul ne dit mot. Chacun avait conscience d'avoir échappé de justesse à une mort atroce.

— Dieu nous garde ! murmura Maurin de Livry lorsque le silence fut revenu.

Comme lui, tous les hommes se signèrent.

— Décidément, on dirait qu'on a tiré le mauvais vin[1], marmonna un compagnon.

— Il n'y a pas de mauvais vin qui tienne ! répliqua l'appareilleur. On répare et on recommence. Quand on aura terminé, je veux voir tous ceux qui étaient chargés de placer les poulies hier soir.

Mais il s'avéra qu'ils avaient vérifié l'installation avec soin et qu'ensuite, sans doute à la nuit, quelqu'un avait limé une des cordes de sorte qu'elle ne tienne plus que par un fil.

Cette nouvelle laissa Colin atterré. On avait réparti les tâches la veille au soir. Nul ne pouvait avoir la certitude que la pierre tomberait sur lui, mais c'était une chance à tenter pour qui voulait le voir disparaître.

Un moment plus tard, Odon fit une arrivée discrète.

— Je ne me suis pas réveillé, chuchota-t-il en se glissant près de Colin.

— Te voilà, toi ! lança Florentin. Tu as peut-être échappé à la mort, il n'y a de veine que pour la racaille.

— De quoi parle-t-il ? demanda Odon.

Tout en lui expliquant ce qui s'était passé, Colin réalisa soudain que l'absence d'Odon au moment où le bloc de pierre était tombé n'était peut-être pas due

---

1. Tirer le mauvais vin signifie : ne pas avoir de chance.

au hasard. Il se rappela que la veille, à son retour de chez le proviseur, il ne l'avait pas trouvé dans la chambre. Odon était-il alors sur le chantier, en train de limer la corde ? Il disparaissait souvent, de façon mystérieuse et sans jamais donner d'autre explication que ses fameux rendez-vous avec une amoureuse que personne n'avait jamais vue. Et il était le mieux placé pour dissimuler une racine de mandragore dans la paillasse. Le mieux placé, aussi, pour savoir que Colin était le fils d'Aurèle Le Blond, puisqu'il avait pu l'entendre parler dans son sommeil.

Odon figurait sans aucun doute en tête de la liste des suspects. Comme il était rassurant de partager la chambre d'un garçon qui voulait peut-être votre mort !

16

Colin n'adressa pas la parole à son camarade de tout l'après-midi. Un lourd silence pesait d'ailleurs sur le chantier. La catastrophe évitée de justesse nouait la gorge des plus désinvoltes. Seul Florentin, comme toujours, ne perdait pas une occasion de provoquer l'un ou l'autre.

À la fin du souper, la décision de Colin était prise. Ce soir, frère Gontran resterait en tête à tête avec ses parchemins. Colin ne voulait pas passer une nuit de plus à côté d'un garçon en qui il n'avait pas confiance. Il avait donc décidé de suivre Odon et, si celui-ci rentrait rue du Beffroy sans traîner, de percer l'abcès en lui faisant part de ses soupçons.

Dès que son camarade quitta la table, Colin retira ses chausses pour pouvoir marcher sans bruit. Comme il l'avait espéré, Odon ne s'engagea pas dans la rue du Beau-Puits, qui était le chemin le plus direct pour gagner la rue du Beffroy, mais emprunta la rue Saint-Michel. Il obliqua ensuite vers la gauche en direction du dédale de petits canaux qui sillonnaient le quartier Saint-Leu. C'était le cœur de l'activité amiénoise, rassemblant surtout des fabriques de laine et de cuir. À quelques dizaines de toises[1] plus loin se trouvait le quartier des teinturiers, où flottait en permanence l'odeur forte de la guède[2]. Colin préférait de beaucoup le quartier canonial[3] qui entourait la cathédrale.

Odon ralentit le pas en approchant d'un ensemble de petites maisons toutes semblables. Elles étaient flanquées à l'arrière de jardinets, vers lesquels l'apprenti se dirigea en empruntant une impasse. Et soudain, avec une souplesse inattendue étant donné sa corpulence, il se glissa sous un enchevêtrement de buissons pour se faufiler dans un jardin potager.

Par chance, le jardin voisin était à l'abandon. Colin sauta la minuscule barrière et alla s'abriter sous un appentis délabré dont le sol était couvert de crottes de poules desséchées. En se tenant sur la pointe des pieds, il pouvait, par un espace entre deux lattes de bois, surveiller le potager. Odon était maintenant invi-

---

1. 1 toise équivaut à 6 pieds, soit presque 2 mètres.
2. Plante utilisée en teinturerie pour obtenir une teinte bleue très appréciée, le « bleu d'Amiens ».
3. Quartier où logeaient les chanoines du chapitre.

sible. Colin en conclut qu'il avait pénétré dans la maison. Était-ce là que demeurait sa prétendue amoureuse ?

Faire le guet au milieu des toiles d'araignées, en luttant tant bien que mal contre une crise d'éternuements, n'avait rien de très agréable. Après une attente interminable, Colin était sur le point de renoncer lorsqu'il entendit un cri provenant de la maison. Il colla immédiatement son œil devant la fente et aperçut une silhouette sombre qui sortait de la maison, tel un animal rampant hors de la cave. Mais, lorsque l'animal se redressa et prit ses jambes à son cou, Colin reconnut Odon !

Une porte s'ouvrit avec fracas et un homme d'au moins cinquante ans, tout voûté et les cheveux blancs comme neige, brandissant un couteau et hurlant des injures, tenta de se lancer à la poursuite du fuyard. Malheureusement pour lui, il n'était plus de première jeunesse et ses jambes refusèrent de le porter plus de quelques coudées[1]. Dépité, il rentra chez lui et claqua la porte.

Colin jugea prudent de laisser passer un long moment avant de sortir de sa cachette et de regagner la maison du teinturier. Il y fut accueilli par les ronflements d'Odon, ponctués de temps à autre par des coups frappés contre la cloison. La pauvre Cunégonde devait bénir son bruyant locataire !

Colin s'était juré de ne pas laisser s'écouler une nuit

---

1. 1 coudée équivaut à 2 pieds, soit environ 60 centimètres.

de plus sans connaître la vérité sur ce garçon. Il descendit prendre une petite lampe à huile de façon à pouvoir observer les réactions d'Odon sans risquer d'être assommé par surprise. Après avoir posé la lampe sur le tabouret, il s'approcha de la paillasse et se pencha vers le ronfleur.

— C'est l'heure ! lui chuchota-t-il.

Celui-ci fit un bond de carpe sans cesser de ronfler.

— Debout, Odon ! dit Colin un peu plus fort.

Comme l'autre ne réagissait toujours pas, il colla les lèvres contre son oreille et poussa un sifflement strident.

— Misère ! soupira l'apprenti.

Ouvrant un œil effaré, il constata avec soulagement qu'il faisait nuit.

— Laisse-moi dormir, espèce de gueux !

— Pas avant que tu m'aies dit où tu étais ce soir, répliqua Colin en passant une jambe de l'autre côté de la paillasse d'Odon et en se laissant tomber à cheval sur son ventre rebondi. C'était qui, ce vieux bonhomme qui voulait t'attraper ?

Enfin complètement réveillé, Odon riboula des yeux effrayés.

— Grâce ! supplia-t-il. Jure-moi de ne pas me trahir !

— Si tu ne me dis pas tout, le menaça Colin, je chargerai Florentin de te faire parler.

— Aïe ! grogna Odon. Ce que tu peux être lourd ! Comment veux-tu que je parle si tu m'empêches de respirer ?

Colin se releva prudemment, et Odon bâilla à se décrocher la mâchoire. Il ne paraissait pas le moins du monde menaçant.

— J'attends tes aveux, dit Colin. Pourquoi vas-tu presque tous les soirs dans cette maison du quartier Saint-Leu ?

— Je n'y vais pas tous les soirs, je change de maison chaque fois. J'ai faim, tu comprends ! J'ai tout le temps faim, alors je vais me servir là où je peux. Je me glisse dans les maisons quand les gens sont absents, je repère les caves bien remplies... Si tu savais les jambons que j'ai pu avaler, certains soirs ! Et les pâtés ! Les fruits, aussi, mais j'aime moins, ça tient moins au corps. Je me régale et je disparais, et crois-moi, ce que je prends ne risque pas de leur manquer. Certains ont chez eux de quoi nourrir tout un ost[1] ! Tu ne vas pas me dénoncer, hein ?

Colin réfléchit un instant.

— Promis. Mais de ton côté tu dois me promettre de ne plus voler. Un jour tu te feras prendre par les hommes du prévôt, et alors tu pourras dire adieu à ta liberté, sans parler de ton travail. Et la honte, Odon, tu y as pensé ? Que diront tes parents ?

— Ils ne diront rien, ils sont dans l'autre monde. Mon père est mort de la lèpre et ma mère de chagrin. Et moi, je mange pour ne pas tomber malade. Et puis parce que je m'ennuie. Il n'y a rien à faire ici le soir...

---

1. Une armée.

Voilà, Colin, tu sais tout. Et maintenant, si tu permets, j'aimerais dormir.

Odon croisa les bras sur ses yeux, ouvrit la bouche, et émit un ronflement.

— Éteins la lampe... geignit-il.

Colin descendit la remettre à sa place pour ne pas encourir les foudres de Cunégonde. Une fois couché, il fut pris d'un fou rire interminable. Comment avait-il pu imaginer Odon allumant des incendies et poussant des hommes du haut des tours de la cathédrale, alors qu'il ne pensait qu'à dormir et à manger ! L'amoureuse, bien entendu, n'existait que dans ses rêves. Tout cela était finalement assez pitoyable. Mais Odon n'avait plus ses parents, et Colin comprenait son chagrin. Il se promit de l'aider autant qu'il le pourrait.

17

— Si on allait se promener au bord de la rivière ? suggéra Colin le lendemain après souper.

— Pourquoi pas ? répondit Odon.

C'était la seule idée que Colin avait eue, la nuit précédente, pour empêcher son camarade de se lancer dans une de ses expéditions alimentaires. Mais ce n'était qu'une solution provisoire. Après complies, Colin retournerait chez frère Gontran et Odon serait de nouveau libre d'entreprendre toutes les bêtises qu'il voudrait.

Les deux garçons traversèrent de nouveau le quartier Saint-Leu, ensemble cette fois, et gagnèrent les rives de la Somme. Après les aveux de la nuit précédente, Colin ne savait comment engager la conversation.

— Et toi, où est-ce que tu vas, tous les soirs ? risqua finalement Odon.

— Je te le dirai peut-être un jour.

— Quand ?

Colin eut recours à une ruse.

— Disons dans deux semaines, si tu n'as pas rompu ta promesse d'ici là.

Odon prit un air stupide.

— Quelle promesse ?

— Tu sais très bien de quoi je parle. Tes descentes dans les garde-manger.

— Quinze jours, c'est long, soupira Odon.

— Si tu comptes recommencer dès que je t'aurai confié mon secret, dit sévèrement Colin, tu ne sauras rien du tout.

— Ça m'est égal, je n'aurai qu'à te suivre, comme toi hier soir.

— Tu es bien trop bruyant, je m'en apercevrai tout de suite !

Odon rit.

— D'ailleurs marcher donne faim, je préfère dormir. Si on s'asseyait ?

Ils s'assirent sur l'herbe et regardèrent tourner les moulins sans savoir que dire. Ce fut encore Odon qui rompit le silence.

— Là où je suis né, il y avait aussi des moulins. Je trouve ça reposant.

— Tu n'es pas d'Amiens ? s'étonna Colin.

136

— Bien sûr que non, je viens de Compiègne. À au moins quinze lieues d'ici. Mon père y était boulanger. Je suis venu ici à la mort de ma mère. Trop de souvenirs là-bas...

Un frisson était passé dans la voix du garçon. La gorge serrée, Colin se mit à ramasser de petits cailloux pour les lancer dans l'eau. Odon l'imita et ils s'amusèrent ainsi un long moment sans prononcer une parole. Le compagnon de chambre de Colin n'était pas exactement l'ami de ses rêves, mais il avait besoin d'aide et cela suffisait à le rendre important aux yeux du jeune garçon.

Odon se mit soudain à chanter doucement.

— Quand vois l'alouette mouvoir
De joie ses ailes face au soleil,
Que s'oublie et se laisse choir
Par la douceur qu'au cœur lui va,
Las ! si grande envie me vient
De tous ceux dont je vois la joie,
Et c'est merveille qu'à l'instant
Le cœur de désir ne me fonde.
Hélas tant en croyais savoir
En amour, et si peu en sais.
Car j'aime sans y rien pouvoir
Celle dont jamais rien n'aurai.
Elle a tout mon cœur, et m'a tout,
Et moi-même, et le monde entier,
Et ces vols ne m'ont rien laissé,
Que désir et cœur assoiffé.

Comment une voix aussi suave et aussi légère pouvait-elle jaillir de ce grand corps massif, un tel raffinement se dissimuler chez un garçon aussi balourd ?

— J'ai déjà entendu cette chanson, remarqua Colin lorsque Odon fut arrivé au terme du dernier couplet, mais je n'arrive pas à me souvenir quand.

— Possible. Ma mère la chantait souvent. Elle avait une jolie voix.

— Toi aussi. Pourquoi tu ne chantes jamais ?

Odon soupira.

— Les gars se moqueraient de moi. Si on rentrait ?

Ils se remirent en chemin.

— En réalité, tu n'as pas d'amoureuse, dit soudain Colin. Tu as prétendu cela pour que je ne te demande pas où tu allais le soir.

Il n'obtint pas de réponse. Mais il avait d'autres soucis que les rendez-vous de son camarade. Si celui-ci était innocent, un assassin se dissimulait ailleurs, sur le chantier ou en ville. Odon pouvait-il l'aider à le démasquer ? Colin en doutait mais pouvait toujours tenter sa chance.

— Qu'est-ce qu'on a dit au juste, quand la maison du chanoine a brûlé ? demanda-t-il.

Il s'attendait à la réponse habituelle : maître Aurèle avait trop bu, il se sera couché en laissant une chandelle allumée.

— Tu m'agaces avec tes questions. Comment veux-tu que je le sache ? Je n'étais pas encore ici, ma mère est morte l'été dernier. Quand je suis arrivé sur le chantier, c'était déjà maître Béranger.

Colin n'en revenait pas. Odon n'avait-il pas prétendu avoir connu maître Aurèle ?

— Pas du tout, expliqua son camarade. Je t'ai répété ce que tout le monde disait parce que j'avais envie de te rabattre le caquet, mais je ne sais même pas à quoi ressemblait le précédent maître. Pourquoi ?

— Pour rien. J'ai entendu Maurin remarquer qu'il y avait beaucoup d'accidents ces temps-ci, et je me suis dit...

— Quoi ? Tu penses que ce n'étaient peut-être pas des accidents ? Qu'est-ce que tu vas chercher ? De toute façon, l'incendie remonte au déluge, il n'y a sûrement aucun rapport.

— Tu as sans doute raison.

Une chose était en tout cas certaine : si Odon ne se trouvait pas à Amiens au moment de l'incendie, il était forcément innocent. Par prudence, Colin préféra cependant s'en assurer le soir même auprès du proviseur.

— Pourquoi me demandes-tu cela ? s'étonna frère Gontran en attrapant une mouche qui avait eu l'audace de s'aventurer sur l'arête de son nez.

Colin avait prévu la question, et imaginé une réponse dont il était assez fier.

— Un compagnon prétend qu'Odon a fait la cour à une petite vendeuse de boutons l'été dernier, puis qu'il l'a oubliée et qu'elle est allée se noyer tant elle était désespérée.

Les yeux du proviseur semblèrent sur le point de rouler hors de leurs orbites.

— Je n'ai jamais entendu parler de pareille ignominie, bougonna le chanoine. Mais, si tu veux, je vérifierai cela demain dans les registres de la fabrique, ainsi tu pourras faire taire les mauvaises langues.

— Il y a autre chose, à propos de cet apprenti, hasarda Colin.

Une idée lui était venue sur le chemin de la rue du Four-L'Évêque.

— Oui ?

— Il a une voix extraordinaire mais n'a jamais l'occasion de chanter. Il est orphelin, frère Gontran, et je le crois très malheureux.

— Ah oui ? répéta le chanoine en se grattant furieusement l'oreille. Je te vois venir, mon jeune ami. Tu penses à la schola cantorum, n'est-ce pas ?

La schola cantorum était une école qui recueillait des enfants abandonnés dotés d'une voix de qualité. On leur y donnait des rudiments d'enseignement, en particulier en musique, et en contrepartie ils chantaient aux offices sous la direction du chantre de la cathédrale.

— Si j'ai bien compris, ajouta frère Gontran, ce garçon est apprenti tailleur de pierre. Il n'a donc pas le temps de suivre tout l'enseignement. Quel âge a-t-il ?

Colin estima qu'il valait mieux rajeunir Odon.

— Peut-être seize ans.

— C'est bien ce que je disais, il est beaucoup trop vieux !

— Mais il pourrait assister seulement à certaines leçons de musique, s'il y en a le soir. Je suis certain qu'il apprendrait vite, et ensuite il pourrait seconder frère Anthelme.

Cette suggestion plongea le proviseur dans des abîmes de perplexité. Il déplaça quelques parchemins, se gratta la tête, et se haussa plusieurs fois sur la pointe des pieds en agitant la tête comme s'il désirait utiliser son crâne pour débarrasser le plafond de ses toiles d'araignées. Après quoi il finit par admettre que frère Anthelme était facilement débordé et ne dédaignerait sans doute pas d'être aidé.

— Crois-tu que ce garçon soit prêt à passer ses soirées à apprendre des psaumes ?

— Le soir, il s'ennuie. Il pense à ses parents qui sont morts, et j'ai peur qu'un jour il n'ait l'idée de quelque sottise.

Colin se garda bien de préciser que le mal était déjà fait.

— On ne risque rien à tenter l'expérience, conclut frère Gontran. J'en parlerai à frère Anthelme.

Colin quitta la rue du Four-L'Évêque convaincu qu'il venait de gagner sa place au paradis. La nuit était tombée, mais le couvre-feu n'avait pas encore sonné et, tout heureux d'être venu en aide à son ami, le jeune apprenti s'arrêta devant la cathédrale et expédia une courte prière à Notre-Dame pour la remercier de lui avoir soufflé une idée de génie.

Un vent froid balaya soudain les abords de la cathédrale. Colin frissonna, serra sa cotte contre lui et s'engouffra dans la rue du Beau-Puits. Arrivé rue Saint-Martin, il lui sembla entendre des pas derrière lui, et soudain il maudit son imprudence. Sous prétexte qu'il ne soupçonnait plus Odon, il avait presque oublié qu'il était en danger. C'était une folie de traîner ainsi dans les rues désertes alors que les maisons étaient closes et les volets tirés. Il se retourna brusquement, espérant voir un rat prendre la fuite, mais il n'y avait ni rat ni homme. Il n'avait pourtant pas rêvé !

Le cœur battant à grands coups, il accéléra le pas. Il poussa un soupir de soulagement en reconnaissant la boucle d'oreille géante qui servait d'enseigne à l'orfèvrerie de la rue du Beffroy. Il ne lui restait plus qu'une vingtaine de toises à parcourir. Il prit ses jambes à son cou jusqu'à la maison de Clovis.

Il poussa la porte, fit un pas à l'intérieur, puis se retourna brusquement pour jeter un regard dans la rue. À quelque distance, une silhouette sombre se dirigeait vers la place du grand marché. Il lui sembla reconnaître le cracheur de feu.

18

— J'ai trois nouvelles, déclara Odon deux jours plus tard : une qui va te faire plaisir, une qui va t'agacer, et une qui va te mettre carrément en colère. Je commence par laquelle ?

Dans le fracas du chantier, ce n'était pas facile de l'entendre car il parlait à voix basse.

— Par celle qui va me faire plaisir, décida Colin.

— Je vais apprendre la musique avec les élèves de frère Anthelme. Du moins les soirs où je ne serai pas trop épuisé par le travail.

— Au rythme auquel tu tailles les pierres, tu pourras aller chanter tous les jours.

— Trop aimable, Chétif ! Mais je ne t'en veux pas, je sais que c'est toi qui m'as obtenu cette faveur.

Colin ne se vexait plus lorsque Odon l'appelait de nouveau Chétif. C'était devenu une taquinerie dépourvue de malice. Quant à ce que venait de lui apprendre Odon, il n'en était pas étonné. En arrivant rue du Four-L'Evêque, la veille au soir, il s'était trouvé nez à nez avec le chantre qui faisait ses adieux au proviseur.

— J'avais un petit souci à discuter avec frère Anthelme, avait expliqué ce dernier. Hélas, peu d'hommes sont réellement dignes de confiance, mon jeune ami, tu dois le savoir ! J'ai profité de l'occasion pour lui parler de ton camarade. Frère Anthelme est ravi et m'a chargé d'annoncer la bonne nouvelle à ce garçon. Aujourd'hui, j'aimerais te montrer un plan que j'ai dessiné la nuit dernière. J'ai consulté le registre, il est bien arrivé sur le chantier à l'automne, et ne peut donc avoir séduit la petite marchande de boutons. Est-ce que nous avons parlé de la déformation que peut entraîner le vent dans les flèches des cathédrales ?

Les discours de frère Gontran n'étaient pas toujours faciles à suivre car il passait sans cesse du coq à l'âne...

— Maintenant, la nouvelle qui va t'agacer, poursuivit Odon. En parlant avec frère Gontran, j'ai deviné où tu allais tous les soirs après souper. Je n'ai pas oublié ce que tu m'as dit le soir de ton arrivée : que tu aimerais devenir maître d'œuvre. Le proviseur a été un peu trop bavard et j'ai tout compris. Mais c'est promis, je ne dirai à personne que tu apprends l'art du trait.

— Je te le conseille, ou je raconterai à tout le monde comment tu occupais tes soirées il n'y a pas si longtemps. Et maintenant, c'est quoi, la nouvelle qui va me mettre en colère ?

Odon posa son taillant et baissa encore la voix.

— Florentin te prépare un mauvais coup.

— Parle un peu plus fort, par pitié ! Florentin ne risque pas de t'entendre, Maurin l'a envoyé à la carrière. Un mauvais coup, tu dis ?

— Un très mauvais coup.

— C'est-à-dire ?

— Tu vas être vraiment très en colère.

Comprenant qu'Odon prenait plaisir à l'asticoter, Colin se remit au travail avec indifférence. Comme prévu, son ami renonça aussitôt à le faire lanterner.

— Après le repas de midi, je l'ai vu quitter la table avant les autres et revenir en douce par ici. Avec une canaille comme lui, je me méfie.

— Sûr !

— Je l'ai observé de loin. Tu me connais, je sais être discret !

Colin hocha la tête sans conviction.

— Tu ne me croiras pas, poursuivit Odon. Je t'ai prévenu, ça va te mettre en colère !

— Eh bien ?

— Dans une colère noire !

— Maintenant, de deux choses l'une, Odon : ou tu

lâches le morceau, ou je t'égorge avec mon taillant. Qu'est-ce que tu choisis ?

— Eh bien voilà : il s'affairait auprès de tes pierres, celles que tu as taillées depuis le début de la semaine. Dès qu'il a eu terminé, je suis allé voir ce qu'il avait fait. Sur certaines, il avait prolongé vers le bas la barre verticale de ton signe. Autrement dit, il l'avait changé en *F*, sa marque à lui ! Ainsi, demain, on le paiera pour des pierres que *tu* auras taillées !

Colin n'en croyait pas ses oreilles. Si la rudesse des hommes du chantier le heurtait parfois, il était impressionné par leur solidarité et leur loyauté. Maurin l'avait dit, il ne suffisait pas d'être un bon ouvrier pour devenir compagnon, les qualités morales avaient autant d'importance que l'habileté au travail. Comment Florentin s'y était-il pris pour tromper son monde et être reçu compagnon ?

— Qu'est-ce que tu vas faire ? demanda Odon.

— Je ne sais pas encore, mais crois-moi, il me le paiera !

Tout l'après-midi, Colin réfléchit à la façon de donner une bonne leçon à Florentin. Il commençait à se poser des questions à propos de cet individu mal embouché. Il s'était attiré sa haine en prenant la défense d'Odon le soir de la fête du printemps, mais cet incident suffisait-il à expliquer une rancune aussi tenace ? Qui sait si Florentin n'avait pas d'autres raisons de le détester ?

— Quelqu'un a des nouvelles du jeune mortellier ?

demanda soudain Valentin. Qui est allé le voir, aujour-
d'hui ?

— Je ne sais pas, répondit Colin. Moi, j'y suis allé
mardi. Il ne souffre pas, mais il est très agité et il
mélange tout, c'est comme si des armées de chevaliers
guerroyaient dans sa tête.

— Pauvre gars, soupira Valentin. Chaque fois que
je te vois, tout joyeux et plein d'enthousiasme, je pense
à lui et ça me fait peine.

— Tu avais remarqué que nous étions amis ?

— Non, mais tu lui ressembles tellement...
Colin resta un instant inactif, les yeux dans le vague.

— Déjà fatigué, Chétif ? plaisanta Odon.

— Non, je pensais à quelque chose.

— Tu n'es pas ici pour penser, mais pour tailler !
Colin se remit au travail, la tête ailleurs. Un jour, le
maître mortellier l'avait pris pour Clément, et voilà
que Valentin aussi était frappé par leur ressemblance.
Lorsqu'on avait poussé Clément dans le vide, n'était-
ce pas plutôt lui, Colin, que l'on visait ?

Malheureusement, le jeune mortellier était incapable de raconter ce qui s'était passé ce soir-là. Si
Colin l'interrogeait de nouveau, il lui parlerait encore
de la Messagère, du chevalier de Montlouis, de frère
Anthelme dansant sur des échasses et d'un moine
déguisé en gargouille.

Une idée un peu folle frappa soudain le jeune garçon. Il interpella Odon.

— As-tu déjà croisé ce cracheur de feu qui fait parfois son numéro aux abords de la cathédrale ?

— Cet horrible bonhomme ? Et comment ! Il a une tête à vous donner des cauchemars.

— Tu ne trouves pas qu'il pourrait servir de modèle à un tailleur d'images qui voudrait sculpter une gargouille ?

— Tu l'as dit !

Oui, le cracheur de feu était aussi monstrueux qu'une gargouille. S'il s'était trouvé sur les hauteurs de la cathédrale, le soir où Clément était tombé, l'image de son visage difforme avait pu se transformer en une gargouille animée dans les délires du jeune garçon.

Colin n'avait jamais vu de visage aussi affreux. Pareille laideur ne pouvait-elle être celle d'un masque que quelqu'un posait sur son visage pour errer dans les rues sans être reconnu ? Ainsi métamorphosé, n'importe qui pouvait, sans crainte d'être reconnu, suivre Colin dans l'obscurité, glisser une racine de mandragore dans sa paillasse à l'heure où la maison du grainetier était déserte, limer la corde d'une poulie...

Or Florentin était de la même taille que le cracheur de feu. Et si le cracheur de feu et lui ne faisaient qu'un ?

Malhonnête et rancunier comme il l'était, Florentin avait dû s'attirer les foudres de maître Aurèle et le haïr pour son intransigeance. Or, à en juger par son comportement le soir de la fête du printemps, il avait une prédilection pour le supplice par le feu...

19

Frère Gontran était le seul à pouvoir aider Colin. Il avait connu maître Aurèle, c'était sa propre maison qui avait brûlé, et en tant que proviseur il savait mieux que quiconque ce qui se passait sur le chantier. Mais comment l'interroger sans éveiller sa méfiance ? Depuis quelques jours, il semblait encore plus nerveux que d'habitude.

Colin commença par manifester un vif intérêt pour les plans de son professeur.

— Vous pourriez les présenter ailleurs, dans une ville où on aurait le projet de construire une cathédrale...

Le digne chanoine s'empourpra comme une modeste damoiselle.

— C'est à Amiens qu'est ma place, répondit-il d'une voix émue. Et puis mon église s'effondrerait peut-être au premier aquilon[1] ! Je suis loin de posséder les connaissances d'un maître d'œuvre. Je ne suis même pas tailleur de pierre, je ne suis qu'un religieux et un rêveur. J'ai plaisir à t'enseigner ce que j'ai appris, mais si tu veux vraiment bâtir une cathédrale un jour, il te faudra passer entre d'autres mains. J'ignore si messire de Cormont serait disposé à te consacrer du temps. Maître Aurèle, voilà le professeur qu'il t'aurait fallu ! Il serait allé loin, si Dieu avait bien voulu le laisser en vie.

Colin croisa ses mains bien serrées pour que le chanoine ne les voie pas trembler. Heureusement, tout en parlant, celui-ci s'affairait à gratter les taches de chandelle fondue qui maculaient la table.

— Pensez-vous vraiment que Dieu soit seul à décider de la vie et de la mort ? demanda Colin. N'est-il pas tenté parfois de laisser l'homme tenir les rênes ?

De stupeur, frère Gontran en oublia les gouttes de cire.

— Comment cela, laisser l'homme tenir les rênes ?

— Eh bien, bredouilla Colin, lorsqu'un homme est assassiné, est-ce bien Dieu qui l'a voulu ? On nous enseigne que l'homme a été créé libre de pécher ou de

―――――――

1. Vent du nord.

ne pas pécher. N'avez-vous jamais pensé qu'une main humaine avait pu mettre le feu à votre maison ?

Frère Gontran haussa les épaules avec virulence et tourna le dos à Colin pour aller se poster devant la fenêtre. Plongé dans la contemplation du crépuscule qui gagnait doucement, il répliqua d'une voix sévère :

— De quoi est constitué le mortier, mon jeune ami ?

— De sable, de chaux et d'eau, répondit Colin.

— Et de quoi est constituée la vie d'un chrétien ?

— Eh bien...

Le chanoine se retourna brusquement.

— De foi, d'espérance et de charité. La foi ne se pose pas de questions et la charité ne médit jamais. Quant à l'espérance... Et puis tu me fatigues, avec tes questions ! Raconte-moi plutôt comment va la vie sur le chantier. T'entends-tu bien avec les autres apprentis ? Et avec les compagnons ?

— À quelques exceptions près, oui.

— Des exceptions ? Comment cela ?

— Il y a un certain Florentin...

— Ah, Florentin ! Je vois de qui tu veux parler. Et que penses-tu de maître Béranger ?

— Il a eu un terrible accident, commença Colin de plus en plus interloqué.

— Je le sais bien, qu'il a eu un accident. Et l'appareilleur, que penses-tu de lui ?

— Eh bien il est plutôt gentil avec moi. C'est lui qui m'a fait embaucher. Lui aussi dit du bien de maître Aurèle.

— Maître Aurèle, maître Aurèle ! Tu n'as donc que ce nom à la bouche ! Ce n'est pas à son sujet que je t'interroge ! Tu me sembles bien dispersé ce soir. Tu es venu pour apprendre, ou pour discourir ?

— Mais c'est vous qui m'avez demandé...

— Je ne t'ai rien demandé, coupa frère Gontran en mettant un indescriptible désordre dans ses plans. Et ta gargouille, elle avance ? Je vois que tu n'y as pas touché depuis plusieurs jours. Où as-tu donc la tête ?

Colin ne pouvait guère avouer qu'il avait la tête à rechercher un assassin.

— C'est difficile, répondit-il.

— Difficile, vraiment ? (Frère Gontran s'approcha de la sculpture d'argile.) Tu avais pourtant bien commencé, il me semble.

— Ce qui me manque, c'est un modèle. En fait, j'ai remarqué un homme dont j'aimerais beaucoup sculpter le visage. Peut-être l'avez-vous parfois croisé ? Il s'agit de ce cracheur de feu qui ne parle à personne et qu'on voit souvent arpenter les rues à la nuit tombée. L'avez-vous parfois aperçu durant la journée ?

Colin espérait, sans trop y croire, que le chanoine lui répondrait : « Non, et je trouve curieux qu'on ne le rencontre que lorsque le chantier est fermé. » Auquel cas l'homme pouvait fort bien ne faire qu'un avec Florentin...

Il en fut pour ses frais. Frère Gontran n'était pas plus disposé à parler du cracheur de feu que de l'incendie de sa maison.

— Où ai-je donc mis cette épure[1] ? grogna-t-il. Je voulais pourtant te la montrer ce soir. (D'un mouvement rageur, il jeta à terre une planchette dans laquelle il avait découpé le profil d'un arc-boutant.) Que ton cracheur de feu aille au diable ! Non, je ne l'ai jamais vu et je n'ai pas envie de le connaître. Le feu est une émanation de l'enfer, je ne souhaite donc pas approcher un homme qui s'en amuse. Et je ne veux plus t'entendre évoquer cet incendie dont le souvenir m'est fort pénible. (Puis, se calmant aussi soudainement qu'il avait perdu patience, il cessa de bousculer ses plans et s'assit en face de Colin.) Compris, mon jeune ami ? Ce soir, je voudrais te parler du plan des cathédrales. Avant tout, il faut choisir une figure de base, par exemple le carré ou le triangle, à partir de laquelle il s'agit de créer l'harmonie dans l'agencement des espaces. Ainsi, à Chartres...

Colin se préoccupait de Chartres comme d'une guigne. Le proviseur avait raison, ce soir il était très dispersé ! Après s'être intéressé à Florentin et au cracheur de feu en se demandant s'ils étaient la même personne, voilà qu'une nouvelle idée tout aussi folle venait de lui passer par la tête. Pourquoi frère Gontran perdait-il patience dès qu'on lui parlait de maître Aurèle ? S'il avait voulu assassiner son locataire, l'incendie était une excellente idée. Personne, en effet, n'eût songé à le soupçonner d'avoir brûlé sa propre maison !

---

1. Plan.

Assailli par toutes ces pensées, Colin observait le chanoine qui pérorait. L'exaltation un peu désordonnée de cet homme, qui jusqu'alors l'avait amusé, lui paraissait tout à coup suspecte. Peut-être n'était-il pas seulement un original particulièrement enthousiaste, peut-être avait-il un grain de folie. Ayant dû renoncer à son ambition de devenir maître d'œuvre, il avait pu nourrir une jalousie féroce à l'égard d'un homme promis à un brillant avenir. Et, s'il avait soupçonné Colin d'être le fils de sa victime, il avait toutes les raisons de souhaiter l'éliminer. D'où la chute de Clément... Clément ne prétendait-il pas avoir vu un chanoine, là-haut, avant de tomber ?

Qui, alors, était le cracheur de feu ? Un complice ?

— Je ne me sens pas très bien, dit Colin. Me permettez-vous de partir maintenant ?

Un instant pétrifié de surprise, frère Gontran se leva en silence et se dirigea vers la porte.

— Je savais bien que tu avais la tête ailleurs. Il est vrai que j'ai moi aussi quelques soucis. Voyons, nous sommes vendredi... Je serai très occupé demain et dimanche. Cela t'ennuierait-il de ne revenir que lundi ?

Cela n'ennuyait pas Colin le moins du monde, bien au contraire. Il n'avait pas l'intention de remettre les pieds dans la rue du Four-L'Évêque avant d'avoir découvert ce que cachait frère Gontran.

Ce soir-là encore il regagna la maison du teinturier en courant et sans cesser de regarder derrière lui.

Dans la petite chambre sous les toits, Odon était

déjà couché, se tournant et se retournant sur sa paillasse sans parvenir à trouver le sommeil.

— Tu n'es pas allé chanter ? lui demanda Colin.

— Non.

— Qu'est-ce que tu as fait ?

— Rien.

— Comment ça, rien ?

— Tu m'énerves, avec tes questions !

En criant ces mots, Odon laissa échapper un rot sonore qui répandit dans la chambre une indubitable odeur de charcuterie.

— Je vois, soupira Colin. Tu as recommencé...

Odon fit un vague effort pour se dresser sur son séant.

— Je mourais de faim, Colin ! Mais c'est la dernière fois, promis.

— La dernière avant la prochaine ! Et si je racontais tout à frère Gontran ?

— Ne fais pas ça, je t'en supplie ! Si tu me promets de ne pas me trahir, je vais te raconter quelque chose qui t'intéressera.

— Si c'est pour me mettre l'eau à la bouche en énumérant tout ce que tu as avalé, inutile de gaspiller ta précieuse salive.

— Entendu, je me tais. Mais c'est dommage, ça concernait justement ce cracheur de feu qui t'intéresse tellement.

Ayant dit, Odon s'affaissa de nouveau sur sa paillasse et se mit à ronfler.

Colin se précipita sur lui et le secoua comme un prunier.

— Raconte, et je te promets de ne jamais te dénoncer.

Les ronflements cessèrent.

— Pas même si un jour j'ai une toute petite rechute ?

Colin n'hésita qu'un instant.

— Pas même si tu rechutes.

Odon renifla.

— Alors voilà. La maison où je suis allé... pour ce que tu sais... se trouvait dans la rue des Augustins, tu vois où elle se trouve ?

— Bien sûr, tout près de la rue du Four-L'Évêque.

— C'est ça. C'est le paradis, cette maison, elle est habitée par deux vieux qui sont sourds comme des pots et qui ont des réserves pour soutenir un siège. Donc j'y ai fait... ce que j'avais à faire... et c'est en sortant que je les ai vus.

— Que tu *les* as vus ? Qui ?

— Le cracheur de feu, en grande conversation avec frère Gontran.

— Avec frère Gontran ? Mais il était chez lui, avec moi !

— C'était un peu avant qu'il t'y retrouve, juste après complies. Je suppose qu'il venait de sortir de la cathédrale et qu'il s'apprêtait à rentrer chez lui.

— L'autre lui avait peut-être simplement demandé son chemin.

— Alors c'est qu'il devait projeter un très long

voyage, parce qu'ils ont parlé un bon bout de temps. Et ils ne devaient pas être trop d'accord sur l'itinéraire, vu l'air fâché qu'ils avaient. Puis ils se sont calmés. Après ce que tu m'avais dit cet après-midi, j'ai eu envie de voir ce gredin de plus près. Eh bien, dès que je me suis approché, pfft ! Ton cracheur à tête de gargouille s'est volatilisé, tout comme quelqu'un qui n'aurait pas eu la conscience tranquille.

— Autrement dit, comme toi, répliqua Colin.

— Tu as promis de ne pas me dénoncer !

— J'ai l'habitude de tenir mes promesses.

— Parfait. Alors on va peut-être enfin pouvoir dormir.

Odon joignit aussitôt les ronflements à la parole. Quant à Colin, il ne trouva pas le sommeil avant que le jour commence à caresser la fenêtre.

20

Le lendemain, comme chaque samedi, compagnons, apprentis et valets se dirigèrent à midi vers la cour du Puits de l'œuvre où on se fournissait en eau pour le chantier. C'était là, sur une table de pierre, qu'on distribuait la paie.

Florentin était un des premiers de la file.

— Fidèle à toi-même, lui lança Maurin avec ironie. Le dernier au travail, le premier pour la paie !

Florentin feignit de ne pas avoir entendu, ce qui en étonna plus d'un mais ne surprit pas Colin.

Maurin indiqua à haute voix le nombre de pierres et tendit au compagnon une poignée de sous.

— Il n'y a pas le compte, protesta Florentin.

L'appareilleur lui démontra calmement que les calculs étaient exacts.

— C'est le nombre de pierres qui n'est pas bon, s'entêta Florentin.

— Peut-être y a-t-il eu une erreur. Nous vérifierons lorsque tes camarades auront été payés.

Florentin s'éloigna de quelques pas et, bras croisés, observa la distribution d'un air narquois. Un petit ricanement lui échappa lorsque ce fut le tour de Colin de toucher son salaire. Puis Maurin le rejoignit et tous deux se dirigèrent vers le lieu où s'amoncelaient les pierres qui avaient été taillées durant la semaine, et qui bientôt seraient hissées sur la tour en construction.

— Les tiennes sont là, là, et là, dit Maurin en montrant celles que Florentin avait taillées. Si tu y tiens, nous pouvons les recompter ensemble.

— Inutile, ce n'est pas là que se trouve l'erreur. Tu as oublié celles qui sont là-bas.

Florentin entraîna l'appareilleur un peu plus loin.

— Celles-ci ont été taillées par Colin, rectifia ce dernier. Regarde : il y a sa marque. Un *A* dont le sommet est carré au lieu de former un angle.

Florentin en bava de stupeur.

— Impossible ! Hier, ces pierres étaient gravées d'un *F* ! Et d'ailleurs la marque de Colin est un *C* avec des angles droits.

— Il a décidé d'en changer et m'en a aussitôt tenu informé. Il trouvait sa marque un peu trop simple et l'a transformée en un *A*, l'initiale d'Amiens.

— Mais... mais... bégaya Florentin.

— C'est vrai, admit Maurin, cela ressemble un peu à un *F* qu'on aurait complété, d'où ta confusion. Désolé, Florentin, si tu veux devenir riche, il te faudra travailler avec davantage de cœur. Et maintenant, à table !

Il rejoignit les autres et entraîna toute l'équipe vers la table du repas.

— Bien joué, souffla Odon en s'asseyant près de son camarade. Il n'est pas près de s'attaquer de nouveau à toi !

Colin n'en était pas convaincu. Du moins avait-il marqué un point. De toute façon, si les fourberies de Florentin se limitaient à une question de nombre de pierres, elles étaient le cadet de ses soucis.

— On va à la rivière ? proposa Odon après s'être abondamment empiffré.

— Non, j'ai à faire, répondit Colin.

— Encore des mystères, soupira son ami.

— Pas du tout, je vais chez l'apothicaire. Sa sœur doit me remettre des herbes à porter chez le grainetier pour Clément. (Réalisant qu'Odon risquait de lui proposer de l'accompagner, il s'empressa d'ajouter :) Frère Anthelme te cherchait tout à l'heure, tu devrais aller le voir.

Il planta là son ami et se rendit chez dame Ermeline.

Il fut déçu de ne trouver chez elle que son frère, de retour d'Abbeville où il était allé rendre visite à des parents.

161

« Il a bien une tête d'apothicaire », songea Colin en le saluant.

Le visage du bonhomme était blafard, et ses lèvres semblaient aussi peu capables de sourire que la bavière[1] d'une armure. Il considéra son visiteur avec la mine de qui découvre une souris morte dans son potage.

— Pourrais-je parler à dame Ermeline ? demanda Colin.

— Ma sœur va rentrer tard et elle aura à faire, répondit l'apothicaire avec la moue du même convive s'apercevant que ladite souris s'apprête à le mordre.

Puis il regarda fixement Colin sans ajouter un mot.

— J'ai rencontré quelqu'un qui vous connaît, dit le jeune garçon pour meubler le silence. C'était sur ma route vers Amiens. Un grand jeune homme qui s'appelait... (Colin, ignorant le véritable prénom de son fantaisiste compagnon de voyage, lança à tout hasard :) Nestor. Il m'a dit être votre frère de lait.

— Je n'ai jamais eu de frère, répliqua sèchement l'apothicaire.

Par chance, il était invisible lorsque Colin se présenta chez lui, le lendemain avant vêpres. Dame Ermeline entraîna le jeune garçon dans le petit jardin aux simples derrière la maison.

— Nous serons mieux ici pour parler, expliqua-t-elle. Mon frère va bientôt rentrer. C'est un homme

---

1. Partie de l'armure protégeant le bas du visage.

de bien, mais il ne sait pas goûter la vie et se méfie de tout. Alors, es-tu remis de tes blessures ?

Colin lui montra ses tibias, qui se portaient fort bien.

— J'ai un souci, ajouta-t-il.

Elle eut ce petit rire qui lui faisait perdre le fil de ses idées.

— Un souci, à ton âge ?

— Ne riez pas, dame Ermeline. C'est encore au sujet de ce que vous savez.

Il lui raconta par le menu les événements de la semaine : la découverte de la racine de mandragore dans sa paillasse, la chute d'une pierre à cause d'une corde qui avait été sciée, et la désagréable impression d'être suivi qu'il avait si souvent ressentie lors de ses trajets pour se rendre rue du Four-L'Évêque ou pour en revenir.

— Tout cela me semble bien compliqué, conclut dame Ermeline. Qui soupçonnes-tu, en définitive ? Florentin, qui n'est probablement qu'un paresseux avide d'argent ? Ce malheureux bonhomme condamné à cracher du feu toute la sainte journée pour gagner de quoi survivre ? Ou le respectable proviseur ? Tu viens de m'apprendre que frère Gontran consacrait ses soirées à t'enseigner l'architecture sans rien te demander en échange. Penses-tu que ce soit le comportement de quelqu'un qui désire ta mort ?

Ainsi exposés, les soupçons de Colin devenaient presque ridicules. Mais il y avait aussi l'accident de Clément, et la ressemblance qui les liait.

— Je suis au courant, répondit la sœur de l'apothicaire. Je vais régulièrement porter des herbes pour que la femme du grainetier lui prépare des tisanes. C'est une femme avare, aussi j'ai obtenu de mon frère qu'il ne lui fasse pas payer ses potions. Je veux être certaine qu'elle prenne soin du petit mortellier.

Colin leva vers la jeune femme un regard plein de vénération. Elle était intelligente et bonne, et de plus, elle était belle.

— Eh bien qu'y a-t-il ? lui demanda-t-elle un peu gênée.

— Vous êtes si belle... Ainsi vêtue de blanc, vous êtes comme une apparition de l'autre monde !

— Cette robe appartenait à ma mère. Elle la portait le jour de mon baptême, elle est morte brutalement pendant la cérémonie. Depuis, je la mets chaque dimanche.

Colin ne la quittait pas des yeux. Dans ce jardin parfumé par l'odeur suave des plantes, entourée d'oiseaux qui pépiaient joyeusement, elle ressemblait à un ange.

Il sursauta. Un ange... Comment ne l'avait-il pas reconnue plus tôt ? C'était elle, la femme qu'il avait vue quitter la maison du grainetier trois semaines auparavant... un dimanche, précisément !

Il lui raconta qu'il l'avait vue ce jour-là, et que, lorsqu'il avait interrogé Clément à son sujet, celui-ci avait parlé d'une Messagère apparaissant aux personnes peu avant leur mort.

— Ton ami me semble déborder d'imagination,

remarqua-t-elle. Je comprends pourquoi vous vous entendez si bien. Frère Gontran poussant de jeunes garçons du haut des tours, c'est insensé ! A-t-on déjà vu des chanoines commettre des crimes ?

Son scepticisme commençait à agacer Colin.

— Frère Gontran n'est pas comme les autres, je vous assure. Il a quelque chose d'étrange...

— C'est une grande chance pour toi d'apprendre avec lui. Mets-la à profit, au lieu de calomnier ce malheureux proviseur.

— L'autre matin, vous m'avez parlé de la jalousie des hommes, insista Colin. Frère Gontran était peut-être jaloux de mon père !

Dame Ermeline se baissa pour arracher une mauvaise herbe, puis se redressa lentement.

— La jalousie... murmura-t-elle. Oui, j'ai bien peur que la jalousie n'ait été cause de tout. Mais je ne peux croire que frère Gontran... Viens, asseyons-nous, il y a quelque chose que tu dois savoir à propos de ton père.

Elle l'entraîna sur un petit banc de bois appuyé contre la maison.

— Il y a trois ans, notre roi Louis IX a acquis des reliques, parmi lesquelles se trouvait la couronne d'épines qui a ceint le front du Christ la nuit de sa mort. Cette couronne a été déposée dans une chapelle de Paris. Mais le roi jugeait cette chapelle indigne d'accueillir pareil souvenir. Il a donc décidé d'entreprendre la construction d'une église qui portera le nom de Sainte Chapelle et qui se trouvera dans l'enceinte de l'ancien palais royal de l'île de la Cité. Comme toujours en pareil cas, de nombreux architectes ont dessiné des plans. Je ne sais lequel d'entre eux a finalement obtenu la faveur du roi. Toujours est-il que les premières pierres vont être posées à la fin de cette année. Tu sais sans doute que ton père voulait devenir maître d'œuvre. Il voyait dans ce projet une occasion de réaliser son rêve. Il travaillait en secret à des plans qu'il comptait présenter à Paris. Quelqu'un lui a-t-il volé son œuvre avant de mettre le feu à la maison ? C'est fort possible. Quoi qu'il en soit, je refuse de croire à la culpabilité de frère Gontran.

Colin vibrait d'excitation comme les cordes d'une vielle. Il était à la fois débordant de fierté d'apprendre que son père avait dessiné les plans d'une église, et désespéré que quelqu'un lui ait volé son projet.

— Si quelqu'un l'a assassiné pour lui voler ses plans et les présenter au roi à sa place, ce scélérat doit payer, qu'il soit chanoine ou archevêque !

Dame Ermeline hocha la tête avec mélancolie.

— Lorsque ton père est mort, son travail était bien loin d'être achevé. Une chose, au moins, est certaine : la Sainte Chapelle que l'on va construire sera l'œuvre d'un autre.

— Mais alors, rien n'est perdu ! s'écria Colin. Si les plans n'étaient pas terminés, celui qui les a volés n'a pu les présenter au roi ! Il doit d'abord les compléter, et il les présentera un jour, plus tard, dans une autre ville ! Ils sont donc toujours à Amiens ! Retrouvons-les et nous connaîtrons le nom du coupable !

Le regard sombre, dame Ermeline se leva et posa ses mains sur les épaules de Colin.

— Je t'interdis de te lancer dans pareille aventure, déclara-t-elle avec sévérité.

Colin se dressa d'un bond.

— Je n'ai plus de père, c'est donc à moi seul de décider ce que je dois faire ! De quel droit m'interdiriez-vous quoi que ce soit ?

— De quel droit, Colin ? De celui que me donne l'amitié que ton père avait pour moi. Je sais qu'il m'approuverait et me remercierait, s'il était encore là.

— Mais il n'est plus là, et on dirait bien que je suis le seul à vouloir lui rendre justice. Soyez tranquille, dame Ermeline, je ne vous ennuierai plus. Je vous salue bien !

Sans laisser à la jeune femme le temps de répondre, Colin s'enfuit en courant, traversa la maison d'un bond et détala dans la rue. Pourquoi dame Ermeline lui refusait-elle son aide ? Comment pouvait-elle ne pas voir à quel point cette histoire de plans incriminait frère Gontran ?

Il erra longtemps dans les rues, si absorbé par ses pensées qu'il faillit laisser passer l'heure du souper. À table, il n'ouvrit la bouche que pour manger et, ensuite, il partit seul en direction de la rivière. Il marcha longtemps, passant au crible tout ce qu'il savait, mais à la tombée du jour il n'avait pas progressé d'un pouce vers la découverte de la vérité.

21

Odon n'était pas rentré lorsque Colin monta se coucher. Peut-être était-ce aussi bien, car il ne savait que décider : tout raconter à son camarade et lui demander son aide ? ou continuer à le tenir en dehors de son enquête ? Il songea un moment à rester éveillé jusqu'au retour d'Odon, mais la fatigue résolut son dilemme car il s'endormit aussitôt allongé.

Il fut arraché à son sommeil par un vacarme d'apocalypse. Une pluie torrentielle se déversait sur le toit, juste au-dessus de sa tête, et la chambre était traversée par intermittence par une lumière bleue, presque aussitôt suivie de coups de tonnerre en rafales. Colin se boucha les oreilles et rabattit la paillasse sur son visage. Il était terrifié par les orages depuis qu'il avait vu, dans un champ, le corps noirci d'un homme foudroyé, les deux mains encore crispées sur sa faux. Il se tourna du côté opposé à la fenêtre, recroquevillé sur lui-même, paupières serrées l'une contre l'autre. Des pas résonnèrent dans la maison, et pour une fois la présence de l'insupportable Cunégonde lui parut rassurante.

Au bout d'une éternité, il lui sembla que le calme était revenu. Il entrouvrit les yeux, risqua une tête hors de sa paillasse, murmura :

— Odon ? C'est terminé ? Le toit ne s'est pas envolé ?

Il n'obtint pas de réponse, et réalisa alors qu'il n'avait pas entendu le moindre ronflement depuis qu'il était réveillé.

Le lever du jour vint confirmer ses craintes. La paillasse d'Odon était inoccupée et, plus tard, sur le chantier, il n'y avait pas l'ombre de l'apprenti.

Tierce venait de sonner lorsque retentit la voix tonitruante du maître mortellier.

— Quel fieffé imbécile m'a laissé cette auge sans la couvrir ? Depuis quand bâtit-on une cathédrale avec de la bouillie ?

En principe, les auges de mortier non utilisé étaient recouvertes chaque soir d'une épaisse toile de façon à y maintenir l'humidité. À plus forte raison le samedi midi, puisque le travail allait être interrompu durant presque deux jours.

Mais sans doute un ouvrier avait-il négligé ces précautions, n'imaginant pas un instant qu'un orage viendrait transformer son mortier en une bouillie inutilisable.

— J'avais pourtant tout vérifié l'autre matin, tempêtait le maître. Et maintenant...

Ses vociférations s'interrompirent net sur un hoquet de stupeur.

Ceux qui se trouvaient dans les parages cessèrent de travailler, curieux de voir ce qui intriguait à ce point ce grand bonhomme pourtant difficile à effaroucher. Penché au-dessus de l'auge, les poings sur les hanches, le maître mortellier semblait avoir été transformé en statue. Soudain il porta la main droite à sa bouche puis se signa. Alors les hommes s'approchèrent lentement, en silence, en proie à une crainte presque religieuse. Et lorsqu'ils comprirent ce qui avait tant effrayé le mortellier, ils se signèrent à leur tour.

À la surface du mortier presque liquide, une main flottait mollement, tel un poisson mort.

Colin poussa un cri. Cette main ne pouvait appartenir qu'à Odon, mystérieusement disparu depuis la veille au soir ! Il se détourna précipitamment pour ne pas voir les hommes extirper à grand-peine le corps de sa gangue boueuse.

— Lui ! souffla le maître mortellier. Bonne Mère, qu'avons-nous donc fait au Seigneur ? Notre cathédrale ne lui plaît-elle pas ?

Colin reprit espoir, car il doutait fort que la mort d'un simple apprenti puisse être considérée comme une malédiction divine. Mais ce qu'il vit lorsqu'il osa enfin rouvrir les yeux lui parut au moins aussi effroyable que le décès de son ami. Même enduit d'un mortier qui lui donnait l'aspect de l'argile, le long nez du proviseur n'était que trop facile à reconnaître.

Une grande effervescence s'ensuivit. Quelqu'un alla quérir des hommes du prévôt, qui inspectèrent les lieux avec soin après avoir ordonné que tout le monde s'éloigne. Puis le corps fut transporté à la prévôté, où il serait ausculté par le mire.

— Pas besoin d'être mire pour savoir de quoi il est mort, bougonna un compagnon. Quelqu'un l'aura assommé avant de le jeter dans l'auge.

— Qui sait ? Peut-être s'y est-il jeté lui-même ?

— Un chanoine, décider lui-même de l'heure de sa mort ? Il faudrait que les temps aient bien changé...

Colin était plus persuadé que quiconque de l'invraisemblance du suicide. Il le déclara d'ailleurs aux hommes du prévôt qui procédèrent aux interrogatoires. Il estima avisé d'admettre qu'il avait passé de nombreuses soirées en tête à tête avec frère Gontran, mais se garda d'évoquer les questions qu'il se posait sur la mort de maître Aurèle. Il ne mentionna pas non plus l'inexplicable absence d'Odon, dont on s'apercevrait de toute façon bien assez tôt.

Que signifiait-elle ? Odon s'était-il enfui après avoir assassiné frère Gontran ? Ou avait-il quitté la ville parce que, ayant été témoin du meurtre, il se trouvait en danger ? Qui, alors, était l'assassin ?

La fin de la journée se passa en allées et venues et en sinistres conciliabules. Le travail ne reprendrait réellement que le lendemain matin. De temps à autre, on apercevait la silhouette sombre d'un chanoine qui filait en rasant les murs, redoutant sans doute les questions. La ville entière semblait engourdie. Les marchands ambulants n'osaient plus haranguer la clientèle, et les musiciens avaient rangé leurs instruments.

Le repas du soir fut aussi sombre que l'avait été l'après-midi.

— Je me demande pourquoi la prévôté s'agite autant, lança Florentin à la fin du souper. Elle n'a qu'à rechercher Odon, il n'aurait pas pris la fuite s'il était innocent !

L'appareilleur le remit sèchement à sa place.

— Accuser quelqu'un qui n'est pas là pour se défendre est indigne d'un compagnon.

— Et jeter un chanoine dans une auge de mortier, ce n'est pas indigne, peut-être ? rétorqua Florentin.

— Étais-tu là quand cela s'est produit ? Parce que si c'est le cas, tu dois tout de suite aller le dire au prévôt. Mais alors je me demande pourquoi tu n'es pas intervenu pour empêcher ce crime !

Florentin piqua du nez sans répondre.

— Quel crime est-ce que j'ai encore commis ? demanda alors une voix.

Colin faillit s'étrangler de joie, car cette voix était celle de son ami Odon, qui venait d'apparaître au bout de la table.

L'atmosphère se détendit aussitôt, on fit fête au revenant.

— Les sergents du guet m'ont retenu au frais pen-

173

dant quelques heures, expliqua Odon. Je les avais un peu malmenés la nuit dernière, et ils n'ont pas aimé ça. Mais maintenant ils ont d'autres chats à fouetter, et me voilà libre ! Libre et affamé !

Colin se poussa afin de libérer une place pour son ami.

— Je ne te demande pas pour quelle raison tu traînais dans les rues en pleine nuit, lui dit-il à mi-voix.

— De toute façon je ne te répondrais pas, répliqua Odon.

— C'est étonnant que tu aies encore faim après avoir fait ripaille toute la nuit dernière !

— J'ai digéré depuis longtemps, répondit Odon. Les gardes ne m'ont rien donné à midi et mon estomac crie famine. Tu étais là quand on a trouvé frère Gontran ?

Raconter à son ami l'horreur de cette journée soulagea un peu Colin.

— Tu as parlé au prévôt du cracheur de feu ? s'inquiéta Odon.

— Pas encore.

— Tu as raison. Retrouver l'assassin est leur affaire, pas la nôtre, et en savoir plus que les autres paraît toujours suspect. Mieux vaut ne pas se faire remarquer, Chétif.

— En ce qui te concerne, c'est réussi, Odieux !

22

Après souper, face à la longue soirée qui commençait, Colin réalisa enfin pleinement ce que signifiait la disparition de frère Gontran. Plus jamais il n'irait rue du Four-L'Evêque, il n'aurait plus à réprimer ses fous rires en voyant son maître s'agiter d'un bout à l'autre de la pièce, ne bâillerait plus en écoutant ses discours exaltés. Peut-être ne le laisserait-on même pas récupérer son ébauche de gargouille, et de toute façon il n'avait plus le cœur à y travailler. Plus que jamais sa mère lui manquait. Il avait fini par s'attacher à Odon, mais ce n'était pas auprès de lui qu'il trouverait réconfort et tendresse. Cette douceur, seule dame Ermeline pouvait la lui offrir. Ce soir, il lui importait peu qu'elle ne partage pas ses soupçons. Il avait besoin de la voir, de lui raconter cette terrible journée et de la laisser le réconforter.

Trop mélancolique pour affronter le regard sinistre de l'apothicaire, il eut l'idée de s'approcher de la maison par le jardin aux simples, pour y guetter le moment où dame Ermeline y ferait un dernier tour avant de se coucher.

Il trouva facilement la ruelle qui contournait les jardins par l'arrière, et s'y engouffra sans bruit, le cœur battant. Il reconnut de loin le pommier qui se trouvait tout près du banc où, la veille, il s'était assis avec dame Ermeline. Après s'être assuré que les jardins voisins étaient déserts, il poussa le petit portillon de bois et alla se coller contre le minuscule appentis où la jeune femme rangeait ses outils de jardinage. L'attente risquait d'être longue, peut-être serait-elle vaine, mais du moins, ainsi tapi le cœur battant, éviterait-il de penser à frère Gontran.

En entendant grincer un loquet, il se dit qu'il avait de la chance. La porte de la maison s'ouvrit et il aperçut la robe de dame Ermeline. Il se redressait déjà pour s'avancer vers elle lorsqu'une autre silhouette apparut. Une silhouette beaucoup plus mince que celle de l'apothicaire, surmontée d'un visage que Colin ne connaissait que trop bien : celui du cracheur de feu !

L'homme traversa le jardin à toute vitesse, sauta par-dessus le portillon et disparut dans la ruelle.

Colin se tassa sur lui-même, terrifié à l'idée de tra-

176

hir sa présence. Car il n'était plus question maintenant d'aller parler à la sœur de l'apothicaire.

Lorsqu'il lui avait fait part de ses soupçons à propos du cracheur de feu, elle avait caché qu'elle le connaissait assez bien pour recevoir sa visite en secret. N'était-ce pas une preuve suffisante de sa complicité ? Maintenant, tous les éléments qui avaient troublé Colin s'emboîtaient parfaitement. Quand Clément affirmait avoir vu la mystérieuse Messagère juste avant de tomber, sans doute disait-il vrai, si c'était dame Ermeline qui l'avait poussé. Et pourquoi, depuis son accident, le jeune mortellier ne cessait-il de délirer ? Tout simplement parce que c'était elle qui fournissait les tisanes censées le calmer. Elle ne tenait évidemment pas à ce qu'il retrouve la mémoire ! Quant à la racine de mandragore, personne n'était mieux placé qu'elle pour s'en procurer une.

Colin en était maintenant certain, elle se tenait au cœur du complot qui avait conduit à la mort de maître Aurèle, à l'accident de Clément, à la mort du proviseur. Voilà pourquoi elle voulait l'empêcher de mener son enquête. Lorsqu'elle prétendait avoir été amie avec le maître tailleur de pierre, elle mentait, bien sûr. Ou du moins l'avait-elle été jusqu'à ce qu'elle apprenne qu'il dessinait des plans pour la Sainte Chapelle...

Colin était écœuré de s'être ainsi laissé berner. C'était un miracle qu'il fût arrivé juste à temps pour voir le cracheur de feu quitter la maison de l'apothicaire. Avec un regard craintif en direction des fenêtres,

177

il fit un bond vers le portillon. Se retenant de courir pour ne pas attirer l'attention, il contourna tranquillement l'angle de la ruelle. Il n'avait plus que quelques toises à franchir pour atteindre la rue, et alors il pourrait prendre ses jambes à son cou.

Mais soudain une silhouette se dressa devant lui. Dame Ermeline !

Avant qu'il ait pu faire un mouvement, elle l'empoigna fermement par le bras et l'entraîna en direction de la maison.

— Nous avons à parler, tous les deux, dit-elle sans le lâcher.

— Laissez-moi ou j'appelle au secours ! souffla Colin.

— Et je dirai que je t'ai trouvé en train de chaparder dans mon jardin. Après le meurtre d'un chanoine que tu connaissais fort bien, je ne suis pas sûre que cela plaise au prévôt. N'aie pas peur, Colin, je veux juste te parler un moment.

Colin savait ce qui l'attendait. Peut-être allait-elle lui parler, en effet... avant de lui faire avaler de force une tisane empoisonnée.

— Mon frère est absent, annonça-t-elle comme pour le rassurer.

Cela n'avait au contraire rien de réconfortant ! Cependant Colin ne perdait pas totalement espoir. Elle avait raison, ameuter les voisins ne lui attirerait que des ennuis. Il allait plutôt tenter de l'effrayer.

— Je ne suis pas dupe, commença-t-il dès qu'elle

l'eut fait asseoir dans la pièce où elle avait soigné ses blessures, la première fois qu'il l'avait vue.

Sans lui laisser le temps de lui couper la parole, il exposa un à un les crimes qu'il lui reprochait.

— Vous êtes complice du cracheur de feu qui est sorti de cette maison tout à l'heure, conclut-il. Mais n'espérez pas échapper à la justice, dame Ermeline ! Avant de venir vous voir, j'ai tout raconté à quelqu'un qui se chargera d'avertir le prévôt si je ne rentre pas sain et sauf rue du Beffroy. Quant à vous enfuir, à cette heure vous ne passerez plus les portes de la ville sans éveiller les soupçons.

Il se tut, les muscles tendus, les épaules crispées, s'attendant au pire. Mais il ne se passa rien. Elle le regardait sans esquisser un geste, comme paralysée de stupeur.

— As-tu terminé ton discours ? demanda-t-elle au bout d'un long moment. Maintenant, veux-tu bien me laisser parler à mon tour ? Bien. Commençons par la racine de mandragore. C'est moi, en effet, qui suis allée la dissimuler dans ta paillasse, et sais-tu pourquoi ? Parce que je m'inquiétais pour toi, à cause de ton idée saugrenue d'enquêter sur la mort de ton père. Tu as entendu dire que la mandragore avait des propriétés vénéneuses, ce qui est vrai. Mais ce n'est le cas que si on la consomme. Elle peut également être utilisée pour le bien. Les Grecs et les Romains s'en servaient pour préparer des philtres destinés à faire naître l'amour, et elle a le pouvoir d'apporter la richesse et de guérir les maladies. Tout dépend de l'usage que l'on en fait. Je voulais te protéger, et tu devrais m'en remercier au lieu de m'accuser de toutes sortes de crimes. Quant au cracheur de feu que tu as vu sortir d'ici, ce n'est qu'un pauvre hère à qui je donne parfois un peu d'argent ou de vieux vêtements. Enfin...

Elle avait baissé les yeux et croisait et décroisait ses doigts avec nervosité. Elle n'avait plus rien de menaçant.

Elle se redressa et, avec cette expression angélique qui avait si souvent ému Colin, déclara :

— J'ai sincèrement aimé ton père. Je ne le lui ai jamais avoué car je savais qu'il était marié et ne voulais pas le troubler, mais je ne cessais de l'encourager dans ses projets, et cet incendie m'a mise au désespoir. (Elle baissa les paupières, et Colin crut voir des larmes au coin de ses yeux.) Il était si beau, si noble... Comment aurais-je pu lui vouloir du mal ? J'ignore si on l'a assassiné ou si cet incendie était un accident. Ce que je sais, en revanche, c'est que de ma vie je ne rencontrerai jamais d'homme aussi estimable. Me crois-tu ?

Oui, Colin la croyait. Il était maintenant aussi convaincu de la sincérité de la jeune femme qu'il l'avait été de son ignominie. Pourrait-elle lui pardonner de l'avoir prise pour une criminelle ?

— Pardon, dame Ermeline, dit-il simplement. Reconnaissez que tout était contre vous...

— C'est vrai, et à ta place j'aurais abouti aux mêmes conclusions.

— Il n'empêche que je refuse toujours de croire à un accident. Il y a eu trop de morts depuis un an.

Comme chaque fois que Colin abordait ce sujet, le visage de dame Ermeline se ferma.

— Je t'en prie, cesse de te torturer avec cela. Si crime il y a eu et si on a tué ton père pour lui voler ses plans, je doute que c'ait été l'acte d'un ignorant. Quand j'y songe, je me dis parfois que l'assassin a pu être un personnage haut placé. Imagine que le meurtrier soit un des membres du chapitre ? Ou quelqu'un de la prévôté ? Un tel homme pourrait tout contre toi : te faire accuser d'un crime, te soumettre à l'ordalie[1], te faire jeter dans les prisons de l'évêque... Tu ne connais pas les hommes, Colin, tu n'es pas de taille à lutter contre des scélérats. Oublie tout cela, je t'en supplie !

Colin hocha la tête en signe de dénégation.

— Je ne quitterai pas Amiens avant d'avoir démasqué l'assassin de mon père, que cela vous plaise ou non.

Elle tenta de le retenir, le supplia de nouveau, mais il coupa court.

— C'est déjà le crépuscule, dit-il en se dirigeant vers la porte. Il ne faut pas que je m'attarde, puisque selon vous je suis en grand danger ! Adieu, dame Ermeline.

---

1. L'ordalie (ou jugement de Dieu) permettait de décider si l'accusé était coupable ou innocent. On lui faisait saisir une barre de fer rougie au feu ; si au bout de trois jours il ne restait pas de marque de brûlure, on le considérait comme innocent.

23

L'activité reprit dès le lendemain matin. Les hommes n'avaient jamais montré autant de zèle. Beaucoup étaient convaincus que les drames récents étaient des signes envoyés par Dieu pour leur montrer qu'il n'était pas satisfait de leur travail. Et, pour tous, se colleter avec la matière, peiner et transpirer permettait de tenir à distance l'angoisse qui rôdait sur le chantier.

Comme ses camarades, Colin s'attaquait violemment à la pierre, s'acharnait à vaincre sa résistance pour la rendre aussi lisse que possible. Si, comme le prétendait dame Ermeline, il ne connaissait pas les hommes, du moins avait-il l'impression de progresser dans le métier qu'il avait choisi.

— Qu'est-ce qu'il t'a donc fait, ce malheureux bloc ? lui demanda Odon. Tu le regardes aussi férocement qu'un loup dépeçant un mouton ! Aurais-tu l'intention de le manger ?

— Peut-être que je ne suis pas assez nourri, répliqua Colin. Ce qui n'est évidemment pas ton cas !

Cependant Odon avait raison. Colin était tellement absorbé par ses pensées qu'il en oubliait toute précaution.

— Aïe ! hurla-t-il soudain.

De la poussière de calcaire venait de voler dans ses yeux. Les larmes jaillirent instantanément.

— Il faut mettre de l'eau, suggéra Odon en s'approchant de lui.

— Laisse-moi ! gémit Colin en le repoussant.

— Mais tu ne peux pas rester comme ça !

— J'ai mal, j'en ai assez de ces pierres, j'en ai assez de cette cathédrale, assez de tout ! geignait Colin en se frottant l'œil.

Il se laissa tout de même emmener jusqu'au Puits de l'œuvre. On fit couler de l'eau en abondance sur ses yeux qu'il avait toutes les peines du monde à maintenir ouverts.

— Ça y est, je crois que j'en suis débarrassé, soupira-t-il enfin.

La douleur, bien que plus sourde, était toujours là.

— Tu vas rentrer chez toi après le repas de midi, ordonna Maurin. Tu demanderas à ta logeuse de te mettre une compresse de camomille, et après une bonne nuit tout ira bien. Je ne veux pas te voir ici avant demain matin !

Bien que se sentant assez piteux, Colin n'était pas mécontent de passer un après-midi loin du chantier. Il ne s'attarda pas à table et regagna la rue du Beffroy sans traîner.

À cette heure, il espérait trouver la maison du teinturier déserte. Il fut très déçu d'entendre une voix dans les hauteurs. Il monta l'escalier sans bruit, car il ne se sentait pas d'humeur à converser avec Colombe. Mais la porte de la chambre était entrouverte, et c'était de là que provenait la jolie voix de la jeune fille.

— *Hélas tant en croyais savoir*
En amour, et si peu en sais.
Car j'aime sans y rien pouvoir
Celle dont jamais rien n'aurai.
Elle a tout mon cœur, et m'a tout,
Et moi-même, et le monde entier,
Et ces vols ne m'ont rien laissé,
Que désir et cœur assoiffé.

Il reconnut aussitôt la mélodie qu'Odon avait chantée au bord de la rivière. Et tout à coup il se rappela enfin où il avait déjà entendu cette chanson. Sa mère la fredonnait parfois, debout sur le seuil de leur petite maison de Chartres, tandis qu'elle guettait le retour de son mari le tailleur de pierre. Et il se revit, tout petit enfant, trébuchant tant bien que mal pour la rejoindre.

Ce souvenir très ancien qui venait de ressurgir subitement dans sa mémoire lui fit battre le cœur de nostalgie. Par la suite, il n'avait plus guère entendu sa mère chanter, car elle savait que l'homme qu'elle aimait ne reviendrait pas avant des mois d'une interminable attente. Et maintenant il ne serait plus jamais là.

Colin se glissa dans la chambre, le chant s'arrêta net.

— Tu m'as fait peur, espèce de vaurien ! Tu n'as pas le droit !

— Comment cela, pas le droit d'entrer dans *ma* chambre ? répliqua Colin.

Il se préparait stoïquement à subir le babillage de Colombe. Aussi fut-il tout étonné de la voir passer devant lui, les yeux brillants et les joues en feu, et dévaler l'escalier sans se retourner.

Il ne se sentait pas le courage de courir derrière elle pour lui demander une compresse de camomille. Elle allait encore se faire prier, lui expliquer que la mélisse ou la passiflore étaient mieux que la camomille, et il n'avait pas envie d'argumenter. Rassuré cependant de savoir qu'il n'était pas seul dans la maison, que personne ne pourrait monter jusqu'à lui pour l'assassiner sans que la jeune fille l'entende, il dormit, la tête pleine de rêves, jusqu'à l'angélus du soir.

— Tu as encore les marques de la paillasse sur tes joues, déclara Odon en le voyant arriver à la table du souper. Bien dormi, espèce de paresseux ?

— Je n'ai pas fermé l'œil, mentit Colin. J'ai passé

tout l'après-midi avec Colombe, je crois bien qu'elle est amoureuse.

La réaction d'Odon confirma ses soupçons. Le garçon ouvrit grand la bouche, la referma sans rien dire, ses yeux clignèrent et il déglutit avec peine, comme s'il tentait d'avaler une limace.

— Un gamin comme toi, ça me ferait mal ! protesta-t-il finalement.

— Un gamin ? Je croyais que tu avais au moins dix-sept ans !

Les mêmes mimiques se succédèrent de nouveau sur le visage rond de l'apprenti.

— Qu'est-ce que tu racontes ?

— Je te l'ai dit, je suis sûr que Colombe est amoureuse. Mais pas de moi ! Je l'ai trouvée en adoration devant ta paillasse et chantant ta chanson. Et quand j'ai surgi derrière elle, elle a eu l'air à peu près aussi à l'aise que Florentin le jour de la paie.

— Et alors ?

Colin éclata de rire, imita la voix stupide que venait de prendre Odon.

— *Et alors ?* Et alors, quand je remarque en plus que l'autre jour elle a *oublié* de te réveiller, elle qui pense toujours à tout, j'en conclus qu'elle n'ose pas monter dans notre chambre quand tu y es, mais qu'elle y rêve quand tu n'es pas là. Avec moi, elle n'est pas si farouche !

— Colombe ne m'intéresse pas du tout, répliqua Odon.

La façon dont il avait prononcé le prénom de la

jeune fille suffisait à prouver qu'il mentait. Colin soupira.

— Alors ce n'était pas à elle que tu pensais, au bord de la rivière, quand tu chantais *celle dont jamais rien n'aurai*. N'en parlons plus, mais c'est dommage. Pour elle, bien sûr !

Odon eut une moue découragée.

— De toute façon je suis bien trop gros pour qu'une fille me regarde.

— Mais comme dorénavant tu n'iras plus dévaliser les garde-manger, d'ici une ou deux semaines tu auras fière allure !

Odon alla s'asseoir à bonne distance de son ami en grommelant, et Colin put enfin laisser libre cours à son fou rire.

Sa première idée, en remarquant la gêne de Colombe lorsqu'il l'avait surprise dans la chambre, avait été de la soupçonner de quelque action malfaisante. Puis il s'était rendu compte à quel point cette supposition était ridicule. Colombe était amoureuse d'Odon, tout simplement, et peut-être Odon l'était-il également, même s'il refusait de l'admettre. Oserait-il pour autant lui faire la cour ? Il avait un tel esprit de contradiction que le meilleur moyen de l'y inciter était sans doute de l'en dissuader.

Colin héla son camarade.

— Quoi, encore ? grogna celui-ci.

— Ne va pas trop vite en besogne, lui conseilla Colin. Tu ferais bien de réfléchir avant de séduire

Colombe... Imagine un peu qu'avec le temps elle se mette à ressembler à sa mère ?

— Tu n'es qu'une mauvaise langue, Chétif ! répliqua Odon.

En son for intérieur, Colin se félicita de son habileté. Quant à lui, il avait maintenant d'autres chats à fouetter que les amours d'Odon.

Dame Ermeline avait évoqué la possibilité que le criminel soit un membre du chapitre ou de la prévôté. Mais qui ?

Maître Béranger ? La mort du précédent maître lui avait été bénéfique puisqu'il avait pris sa place. Et si quelqu'un pouvait nourrir l'ambition de devenir un jour maître d'œuvre, c'était bien lui ! Mais maître Béranger, qui avait les deux jambes brisées, n'avait pu s'attaquer à frère Gontran et le jeter dans l'auge de mortier. Ou alors il avait un complice.

Colin venait de se servir de soupe lorsqu'il vit arriver Renaud de Cormont, le maître d'œuvre. C'était un personnage bien mystérieux, qui parlait peu mais dont le regard perçant observait tout, un homme dont frère Gontran avait dit qu'il était jaloux de ses idées. Fallait-il se fier à sa réputation de droiture ? Peut-être rêvait-il de devenir l'architecteur[1] d'une réalisation commandée par le roi lui-même ! Mais pourquoi, alors, n'avait-il pas achevé les plans de maître Aurèle pour aller les présenter à Paris ? L'avait-il fait, et ceux-ci avaient-ils été refusés ?

---

1. Autre terme pour nommer le maître d'œuvre.

— Si la soupe ne te plaît pas, plaisanta le voisin de Colin, tu peux m'en faire cadeau ! Qu'est-ce qui te prend, de bayer ainsi aux corneilles ?

Colin avala machinalement sa soupe tiède sans cesser de réfléchir.

Lorsque dame Ermeline lui avait parlé des travaux de son père, il avait songé à retrouver les plans inachevés. Puis il avait écarté cette idée, pensant que le voleur les conservait dans une cachette inviolable ou qu'ils n'étaient plus à Amiens. Mais c'était stupide de renoncer sans avoir rien tenté. Et voilà que l'apparition de Renaud de Cormont venait de lui suggérer une possibilité. Y avait-il de meilleure cachette que la chambre aux traits, ce lieu où personne ne pénétrait jamais hormis le maître d'œuvre et, exceptionnellement, l'appareilleur ?

Colin savait maintenant ce qu'il lui restait à faire : fouiller ce lieu interdit sans se faire prendre.

24

La chambre aux traits était contiguë à la loge, et on ne pouvait y accéder par l'extérieur car elle ne disposait d'aucune porte ouvrant sur la rue. Si la clé était dissimulée quelque part dans la loge, Colin était presque certain de pouvoir la trouver. La seule difficulté était de pénétrer dans la loge, qui, elle, était solidement verrouillée.

À la fin du souper, dans le brouhaha général qui précédait le bonsoir, le jeune garçon s'arrangea pour traîner à proximité de Maurin. Celui-ci était justement en train de parler de l'enquête avec Valentin, un des compagnons.

— On n'a pas encore retrouvé l'assassin ? demanda Colin en s'avançant vers eux.

— Ce n'est pas si simple, répondit Maurin. N'importe qui a pu donner rendez-vous à frère Gontran sous un prétexte ou sous un autre. Les sergents vont interroger tous les Amiénois qui habitent à proximité de la cathédrale, mais cela prendra du temps.

— C'est bien triste, remarqua Colin. Frère Gontran était un homme si généreux...

Les deux hommes le considérèrent avec étonnement.

— Qu'en sais-tu ? demanda Valentin.

— J'allais parfois chez lui. D'ailleurs je l'ai dit aux sergents qui m'ont interrogé. Il m'enseignait l'art du trait.

— Tiens donc ! s'exclama Maurin avec une mimique contrariée. Tu sais pourtant que tu peux nous poser toutes les questions que tu désires, à maître Béranger ou à moi. D'ailleurs je te trouve bien impatient ! Tailler de belles pierres, c'est tout ce qu'on te demande pour l'instant.

Colin battit en retraite.

— En fait, je m'essayais surtout à sculpter une image dans l'argile. Ce n'est pas facile mais j'aimais cela et il m'encourageait, cela va me manquer. À moins...

— À moins ? demanda l'appareilleur d'un ton radouci.

— C'est bien audacieux de vous demander cela,

bafouilla Colin. Si je pouvais rester une heure ou deux dans la loge, le soir, pour continuer à sculpter...

— Tu ne manques décidément pas de culot ! s'esclaffa Maurin. Rester dans la loge, tout seul, et de nuit encore ? Personne n'y traîne quand la journée est terminée, c'est un principe sacré. Et puis, si tu ne dors pas assez cette nuit, tu seras tout mou demain, et on a de l'ouvrage. (Il regarda le ciel, fronça les sourcils.) En espérant qu'on pourra travailler. Ce vent ne me dit rien de bon ; s'il forcit trop, pas question de grimper en haut des échafaudages. On a eu assez d'accidents comme ça ! Quant à toi, va vite demander à la femme du teinturier une compresse de camomille, et dors tout ton saoul. À ton âge, le sommeil est chose importante.

Colin s'éloigna en tentant de dissimuler sa colère. Se faire traiter comme un gamin était humiliant, et la condescendance de l'appareilleur n'avait fait qu'aviver son impatience. Il fila en direction de la rivière pour y attendre la nuit. Il aimait se laisser bercer par le mouvement tranquille des ailes des moulins, qui lui apparaissaient comme de grands bras protecteurs veillant sur lui.

Quand vint le crépuscule, cependant, leurs silhouettes sombres luttant contre le vent lui semblèrent tout à coup menaçantes. Lorsque les oiseaux de la rivière se turent et qu'on n'entendit plus que le clapotis de l'eau, il fut presque tenté de renoncer à son entreprise. Puis il pensa à son père, à Clément, à frère Gontran, il pensa aux plans volés qui profiteraient peut-être un jour à l'assassin, et il se mit en route.

En arrivant rue Notre-Dame, il aperçut les flambeaux d'un couple de sergents qui s'éloignaient dans la rue Saint-Michel. Il disposait d'un peu de temps avant leur prochain passage. La lune à son dernier quartier lui permettait de se diriger sans difficulté tout en restant discret. Il courut sans bruit jusqu'à la porte de la loge.

C'est alors qu'il se rendit compte que quelqu'un s'y trouvait déjà. Ce qu'il avait pris pour le reflet de la lune était en réalité la lueur d'une chandelle tremblant derrière les fenêtres. Il s'arrêta net, recula sur la pointe des pieds jusqu'à la maison la plus proche et se tapit dans l'encoignure de la porte, agacé par ce contretemps. Les yeux rivés sur la loge, il n'osait se risquer jusqu'à la fenêtre pour voir qui avait osé s'introduire dans ce lieu sacré, mais il ne pouvait non plus se décider à abandonner. Il espérait sans trop y croire que la personne qui se trouvait là allait repartir en oubliant de fermer la porte à clé, lui laissant le champ libre pour mener son investigation.

Ce fut en effet ce qui se produisit. Bientôt la silhouette d'un homme s'encadra dans l'embrasure de la porte. Colin le reconnut sans peine et fut soulagé de constater qu'il ne s'agissait pas d'un malfaiteur. L'homme se figea un instant pour jeter un regard circulaire dans la rue, puis s'éloigna d'un pas rapide après s'être contenté de tirer la porte derrière lui.

Colin prit son élan et s'approcha de nouveau de la loge, dans laquelle il pénétra sans difficulté.

Il s'aperçut tout de suite qu'il se passait quelque

chose d'anormal. Des flammes s'élevaient d'un fouillis de vieux parchemins destinés à être grattés[1] et de planchettes de bois qui avaient servi à tracer des plans !

Colin chercha désespérément des yeux de quoi étouffer le feu. Il n'y avait pas d'eau dans la loge, mais de grandes bâches auraient pu faire l'affaire. N'en voyant pas, il se jeta sur une pelle posée dans un coin et s'attaqua aux flammes. Malheureusement l'incendiaire avait allumé le feu en renversant un quinquet[2] dont l'huile s'était largement répandue. Lorsqu'une flamme mourait, une autre naissait à quelques pieds de là, puis une autre, et elles gagnaient inexorablement du terrain. Colin vit tout à coup le moment où il allait se trouver encerclé. Alors il lança la pelle loin de lui et se précipita vers la porte.

— Au feu ! hurla-t-il en courant par les rues. Au feu ! La cathédrale est en feu !

Pareil cri ne pouvait laisser indifférent. Bien des Amiénois avaient assisté impuissants à l'incendie qui, en 1218, avait détruit la cathédrale précédente. Des fenêtres s'ouvrirent, des hommes sortirent dans la rue, on organisa une chaîne à partir du Puits de l'œuvre. Mais le vent qui s'était levé à l'heure du souper avait encore pris de la vigueur. La lutte fut rude et, lorsque enfin on put poser les seaux, la loge avait presque totalement brûlé.

— C'est un miracle qu'on ait pu sauver la chambre

---

1. Le parchemin coûtant très cher, on grattait les inscriptions devenues inutiles pour pouvoir de nouveau écrire dessus.
2. Lampe à huile.

aux traits, déclara Renaud de Cormont qu'on était allé chercher. Tous les plans brûlés, je ne peux imaginer pareille catastrophe... Mais je n'aime pas cela. L'incendie de l'an dernier, tous ces morts, et maintenant ce feu... J'espère qu'on en trouvera vite l'origine, ou je finirai par croire qu'une malédiction pèse sur notre cathédrale.

Colin savait, lui, qu'aucune malédiction n'était en cause. Et il savait qui avait allumé le feu.

25

Au matin, la plupart des hommes avaient la mine blafarde, car ceux qui demeuraient aux abords de la
cathédrale avaient participé à la lutte contre l'incendie fort tard dans la nuit.

Aussitôt arrivé, Colin fut abordé par Maurin.

— Frère Enguerrand désire te voir au plus vite, lui
annonça ce dernier.

— Frère Enguerrand ? Que peut-il bien me vouloir ?

Frère Enguerrand était le chancelier du chapitre. Il
exerçait les fonctions de secrétaire, et remplacerait le
proviseur décédé jusqu'à l'élection d'un successeur.

— Je suppose que tu le devines, répliqua sèchement l'appareilleur. À moins que tu n'aies perdu la mémoire pendant la nuit... Lorsque j'ai quitté la loge en fin de journée hier, tout était parfaitement en ordre et aucune lampe n'était allumée. Quelqu'un y est donc entré après mon départ. J'imagine que frère Enguerrand désire parler à cette personne.

— Mais ce n'est pas moi ! protesta Colin.

— Tu expliqueras cela au chapitre. J'ai été obligé de dire que tu m'avais demandé l'autorisation d'y passer la soirée.

Colin savait qu'il ne servirait à rien de nier.

— C'est cela, répliqua-t-il en s'efforçant de retenir ses larmes. Je vais tout expliquer !

Lorsque, un moment plus tard, un jeune moine poussa Colin dans la salle de réunion du chapitre, referma la porte derrière lui et le laissa face à frère Enguerrand, un colosse aux yeux gris, le jeune garçon réalisa qu'il était en très mauvaise posture.

Le chancelier n'était pas seul. Il avait appelé auprès de lui le trésorier. Frère Eudes était aussi rond qu'une soule[1] et parlait d'une voix de fillette. Les deux dignitaires, confortablement assis dans des faudesteuils à haut dossier, laissèrent Colin debout.

— Il paraît, mon garçon, que tu es allé à la loge hier au soir, attaqua d'emblée frère Enguerrand. Cela tombe fort bien, tu vas pouvoir nous dire ce que tu y as vu.

---

1. Balle qu'on poussait avec une crosse pour jouer au jeu du même nom.

— Je n'allais pas à la loge, répondit humblement Colin. Je passais dans la rue, et j'ai vu...

— Tu passais dans la rue, dis-tu ? Que faisais-tu donc si tard dans la rue Notre-Dame ?

— J'étais allé me promener au bord de la rivière, je me suis attardé... Et puis j'aime bien, avant d'aller dormir, admirer une dernière fois la cathédrale.

Le regard échangé par les deux chanoines en dit long sur leur scepticisme.

— C'est remarquable ! tonna le chancelier. Après une journée d'un travail qui doit être passablement fatigant, si du moins tu l'exécutes avec cœur, tu veilles chaque soir fort tard pour t'assurer que la cathédrale est toujours là... C'est remarquable, et cela nous arrange bien puisque cela t'a permis de te trouver devant la loge au moment où quelqu'un y mettait le feu. Alors, mon garçon, qu'as-tu vu, hier soir ?

— J'ai vu un homme en sortir en courant, et l'instant d'après la fenêtre était tout éclairée. Alors je me suis approché, j'ai remarqué que la porte était restée entrebâillée, j'ai vite compris qu'un incendie s'était déclaré et j'ai aussitôt donné l'alarme. Je ne peux rien vous dire de plus, frère Enguerrand.

— C'est fort regrettable. Qu'en pensez-vous, frère Eudes ?

— Regrettable, certes, approuva frère Eudes. Mais l'existence n'est-elle pas semée d'événements regrettables ?

Cette réponse ne sembla pas plaire à frère Enguerrand. Sa bouche, qu'il avait fort mince, devint aussi fine qu'un trait de plume.

— Ce que nous aimerions savoir, reprit-il, c'est si tu as reconnu ce mystérieux individu que tu as vu prendre la fuite.

— Il faisait nuit, objecta Colin.

— Il faisait nuit, mais la fenêtre devait être brillamment éclairée par les flammes.

— Pas à ce moment-là, les flammes étaient encore petites.

— De petites flammes, murmura frère Enguerrand. Alors j'imagine qu'elles devaient être faciles à éteindre. Pourquoi n'y es-tu pas parvenu ?

Questions et réponses s'enchaînèrent ainsi pendant près d'une demi-heure. À chacune des affirmations de Colin, le chancelier trouvait une objection. Frère Enguerrand ne se priva pas non plus d'invoquer la mémoire de frère Gontran, qui était mort dans des conditions si suspectes et que Colin avait si bien connu.

— C'est extrêmement regrettable que tu ne puisses nous en dire davantage à propos de la nuit dernière, conclut-il avec agacement. N'est-ce pas, frère Eudes ?

— Il faisait nuit, répartit le trésorier de sa douce voix. La nuit, dit le dicton, tous les chats sont gris.

Exaspéré, frère Enguerrand souleva sa grande carcasse et vint se planter devant Colin.

— Nous en reparlerons, mon garçon, dit-il d'un ton chargé de menaces. Oui, nous en reparlerons.

— Il nous faut d'abord mener une enquête

sérieuse, murmura frère Eudes. De mon côté, j'ai quelques petites idées que j'aimerais bien vérifier.

Frère Enguerrand se retourna d'un seul bloc, comme un sanglier affrontant le chasseur.

— Quelques petites idées, frère Eudes ? Que ne les exprimez-vous !

— Plus tard, plus tard, bredouilla le trésorier. Ne t'inquiète pas, mon garçon, la vérité triomphe toujours.

— En effet, approuva le chancelier. Toujours !

Colin regagna le chantier sur des jambes flageolantes, le cœur battant la chamade, des larmes perlant au coin de ses paupières. Il pensait s'en être bien tiré pour cette fois, mais, s'il n'apportait pas bientôt des preuves de son innocence, frère Enguerrand se ferait certainement un plaisir de le remettre entre les mains du prévôt. Ou plus probablement de l'évêque, car sans doute la loge faisait-elle partie de l'enceinte de la cathédrale, auquel cas les crimes qui y étaient commis étaient du ressort de l'évêché. Ce qui n'avait rien de réconfortant, car les prisons de Monseigneur de La Pierre[1] ne valaient probablement guère mieux que celles de la ville.

Ce que Colin ne parvenait pas à comprendre, c'était le lien entre cet incendie et les plans de maître Aurèle. Si, comme il le supposait, les plans étaient dissimulés dans la loge, l'assassin du tailleur de pierre n'avait en effet nul besoin d'y mettre le feu pour les récupérer...

1. Monseigneur Arnould de La Pierre, évêque d'Amiens de 1236 à 1247.

Quoi qu'il en soit, si ces fameux plans étaient encore à Amiens, Colin devait à tout prix les retrouver. C'était sa seule chance d'éclaircir le mystère, et peut-être de prouver son innocence. Car il ne parviendrait évidemment pas à se disculper en donnant le nom de l'homme qu'il avait vu disparaître dans la nuit après avoir renversé un quinquet d'huile.

Qui, en effet, croirait que Maurin de Livry avait tenté de détruire une loge qui était sa raison de vivre ?

26

Toute la matinée, Colin travailla avec zèle en sifflotant de temps à autre pour donner à croire à Maurin qu'il était serein. Jusqu'à preuve du contraire, l'appareilleur ignorait avoir été vu sortant de la loge, la veille au soir. Cependant Colin ne se faisait guère d'illusions. Voir arriver en ville un gamin venu de Chartres et qui avait le même sourire que maître Aurèle avait forcément inquiété cet assassin. Que Colin ait été le premier à découvrir l'incendie de la loge n'avait pu que l'exaspérer, et il devait être plus désireux que jamais d'éliminer ce témoin gênant. Il était donc urgent de le démasquer.

Tout en s'escrimant sur son bloc de pierre, le jeune

garçon échafauda un plan qui lui semblait imparable. Pour le mener à bien, il avait besoin de l'aide de quelqu'un qui sache écrire.

À l'angélus de midi, il posa tranquillement ses outils et se dirigea avec ses camarades vers la table du repas tout en surveillant l'appareilleur du coin de l'œil. Dès que celui-ci se fut éloigné, il s'esquiva discrètement et courut chez l'apothicaire.

Comme tous les Amiénois du centre-ville, dame Ermeline avait appris l'incendie, mais elle ignorait que c'était Colin qui avait donné l'alarme. Lorsqu'il lui raconta les circonstances du drame et les soupçons qui pesaient maintenant sur lui, elle fut atterrée. Cette fois, il n'eut aucune difficulté à la convaincre de la nécessité d'agir.

— Ton idée me semble bonne, approuva-t-elle après qu'il lui eut exposé son plan. Je suis toute prête à t'aider, à condition que tu me laisses prendre les choses en main.

Colin fut bien obligé de se soumettre. Dame Ermeline alla chercher un morceau de parchemin, une plume et un encrier, et se mit en devoir de rédiger le message dont Colin lui avait suggéré le contenu.

Parce que j'ai beaucoup d'estime pour vous et pour le travail que vous réalisez à la cathédrale, j'ai décidé de vous donner une chance d'échapper à la justice. Vous êtes soupçonné d'avoir mis le feu à la loge, ainsi que d'autres crimes encore plus graves. Je me fais fort de persuader les membres du chapitre de votre innocence, et m'y engage à une condition : vous me remettrez les plans que vous avez volés de façon ignominieuse l'an passé. La cathédrale que j'espère faire bâtir selon ces plans vous assurera, je le souhaite, la rémission de vos péchés. Comme nous désirons l'un et l'autre rester discrets, la tour en construction me semble le meilleur endroit pour nous rencontrer : après le coucher de soleil, nous y serons seuls avec les oiseaux de nuit.

Un chanoine du chapitre.

— Si tu ne t'es pas fourvoyé, conclut dame Ermeline en soufflant doucement sur le parchemin pour faire sécher l'encre, il sera au rendez-vous. Et ce n'est pas un chanoine qu'il y trouvera, mais mon frère. (Elle leva la main pour couper court à toute protestation.) J'ai une totale confiance en lui, et nous avons absolument besoin d'un homme. M'imagines-tu livrer un combat singulier contre l'appareilleur sur la tour de Notre-Dame ?

— Si vous m'assurez qu'il ne nous trahira pas...

— Je réponds de lui comme de moi-même. Quant à toi, tu ne bougeras pas de la maison du teinturier. Si Maurin te voyait, il serait capable de tout. Tu me promets de rester bien sagement dans ta chambre ?

— Promis, dame Ermeline.

En son for intérieur, Colin se dit qu'après tout la désobéissance n'était pas péché mortel.

— Je déposerai ce message chez Maurin de Livry en fin d'après-midi, ajouta la sœur de l'apothicaire en roulant le parchemin. Il le trouvera en rentrant du souper, ce qui lui laissera le temps de porter les plans à l'heure dite, si c'est bien lui qui les détient.

Dans l'après-midi, Colin réalisa tout à coup qu'il ignorait où demeurait Maurin. Mais il obtint facilement le renseignement et, aussitôt sonné l'angélus du soir, il fit un aller-retour rapide dans la rue des Orfèvres pour repérer les lieux. Puis il se rendit au souper en se félicitant de sa chance. Presque en face de la maison où vivait l'appareilleur, une minuscule venelle s'ouvrait entre deux maisons, si étroite et si sombre que personne ne pourrait y remarquer un jeune garçon tapi dans l'ombre.

À table, Colin s'arrangea pour s'asseoir loin de Maurin et d'Odon. Vers la fin du repas, il se tint le ventre en grimaçant, se plaignit de douleurs que, dit-il, il lui arrivait d'avoir lorsqu'il mangeait trop de fèves. Il ajouta que le seul remède était de s'allonger et quitta la table, les mains toujours pressées contre son ventre. Puis il gagna la rue des Orfèvres et se posta dans sa cachette.

Les émotions de la nuit précédente et ses palabres avec les chanoines avaient dû éprouver Maurin, car il rentra directement chez lui. Maintenant, se dit Colin, il va trouver le message du chanoine, et alors de deux choses l'une : ou il se couche tranquillement et cela signifie qu'il est innocent, ou il ressort pour aller remettre les plans.

Le temps lui sembla long, dans cette cachette humide et nauséabonde où chiens et porcs s'étaient copieusement soulagés. Mais peu à peu les passants se firent plus rares, le calme envahit la rue, et bientôt le crépuscule se faufila entre les maisons. Un carillon sonna au loin, une voix jaillit d'une fenêtre pour rappeler à l'ordre un enfant désobéissant, puis le silence se fit.

Alors la porte de la maison d'en face s'ouvrit et l'appareilleur s'avança dans la rue, un solide sac de toile se balançant à l'épaule. Il se mit en route d'un pas rapide en direction de la cathédrale. Prenant soin de laisser entre eux une distance respectable, Colin fit de même, priant le ciel pour que l'apothicaire ne soit pas en retard.

Dans la Basse rue Notre-Dame, un volet qui claqua violemment le fit sursauter, mais il ne se retourna pas. La seule chose qu'il redoutait, maintenant, était de se faire attaquer par quelque brigand ou de croiser des sergents du prévôt qui lui demanderaient pourquoi il traînait si tard dans les rues. Cependant il ne fit aucune mauvaise rencontre jusqu'à ce que se dresse devant lui la masse imposante de la cathédrale.

Maurin se dirigea vers les échafaudages sans ralentir le pas. Il n'avait pas l'allure d'un poète qui vient rêver devant la beauté de Notre-Dame, mais bien celle d'un homme déterminé et combatif.

Sans se retourner, il pénétra dans le sanctuaire et commença à gravir un des escaliers en spirale ménagés à l'intérieur des murs.

27

Colin laissa passer quelques minutes. Après avoir scruté les rues alentour pour s'assurer qu'aucun sergent ne se trouvait à proximité, il emprunta le même chemin que l'appareilleur. Il montait lentement, terrifié à l'idée d'attirer l'attention de Maurin ou de trébucher dans l'obscurité. Sur la tour, il pensait pouvoir se dissimuler assez facilement derrière les blocs qui avaient été hissés dans la journée mais non encore mis en place. À condition, bien sûr, que Maurin lui tourne le dos...

En arrivant en haut de l'escalier, il fut saisi par la vision qui s'étendait à l'horizon. Jamais il ne s'était trouvé là-haut si tard, jamais il n'avait vu le chantier baigner dans cette lumière écarlate, les amoncellements de pierres dessinant des silhouettes fantastiques devant le ciel où se mouvaient des nuages aux teintes changeantes. C'était sublime et un peu terrifiant.

Cependant Colin ne s'attarda pas à admirer le panorama. Au milieu des pierres se tenait Maurin, les poings sur les hanches, scrutant le chantier. D'un instant à l'autre il pouvait se retourner et s'apercevoir de la présence de son apprenti. Or Colin ne voyait pas l'ombre de l'apothicaire ! S'était-il dissimulé pour attendre l'appareilleur ? Pourquoi ne sortait-il pas de sa cachette ? Sans perdre de temps à approfondir cette question, Colin repéra très vite, à quelques pas de lui, un espace presque clos cerné de trois côtés par de gros blocs. Il s'élança sans quitter Maurin des yeux.

S'il avait plutôt regardé où il posait les pieds, sans doute eût-il évité de heurter un moellon aussi gros qu'un tonnelet. Malgré la douleur qui irradia sa jambe dont la plaie n'était pas encore totalement cicatrisée, il réussit à ne pas crier. Mais son pied, en retombant brutalement, fit crisser les gravillons qui jonchaient le sol. Pestant contre son imprudence, il fit encore trois pas et se jeta accroupi derrière son abri.

Hélas, Maurin avait l'oreille fine. Il s'était retourné juste à temps pour apercevoir la frêle silhouette se glisser dans l'ombre. Il se précipita sur Colin, l'agrippa par le haut de sa cotte, l'obligea à se redresser et le rejeta aussitôt à terre. Puis, avant que le jeune garçon ait pu reprendre son souffle, il le souleva de nouveau en l'attrapant sous les aisselles.

— Est-ce toi qui m'as fait venir ici, espèce de fripouille ? cria-t-il.

— S'il m'arrive quelque chose, balbutia Colin, vous serez pendu !

— Je ne peux pas croire que ce soit toi qui m'aies envoyé ce message, tu n'es même pas capable d'écrire trois mots !

— Mais je sais que c'est vous qui avez incendié la maison de frère Gontran, l'an passé, que c'est vous qui avez poussé...

— Tais-toi, vaurien ! Tu ne sais rien, et quand bien même ? À quoi cela te servira-t-il, lorsque tu seras en enfer ? Cet imbécile de Clément te ressemblait, et regarde dans quel état il se trouve aujourd'hui ! Mais toi, je ne te raterai pas ! Viens voir par ici et dis-moi : as-tu peur du vide ?

Il traîna jusqu'à l'extrémité du chantier le pauvre Colin qui tentait en vain de balbutier des appels au secours. Appels que personne n'entendrait, de toute façon, puisqu'il était seul au sommet du monde avec un assassin.

— Voilà où va s'achever ta courte vie ! cria Maurin en montrant à Colin le gouffre sombre qui s'ouvrait devant lui. Tu vas mourir, mais tu as de la chance, tes souffrances seront plus brèves que celles de ton père. Récite une dernière prière et dis adieu à ta misérable existence. Et regarde une dernière fois le soleil, car lorsqu'il disparaîtra à l'horizon tu seras dans l'autre monde, et personne ne pourra prouver que tu n'es pas tombé tout seul !

— Si, moi ! hurla une voix puissante.

Colin sentit la poigne de son agresseur se relâcher. Il profita de l'effet de surprise pour se dégager et faire un bond de côté. Alors seulement il tourna la tête, et reconnut l'homme qui venait le sauver : frère Anthelme !

Mais le chantre était plus habitué à chanter des psaumes qu'à lutter contre la fureur d'un assassin. Un faux mouvement lui arracha une grimace de douleur et lui fit perdre l'équilibre. Maurin se jeta sur lui et lui encercla le cou des deux mains.

— Vous ! C'est vous qui avez eu l'audace de me réclamer les plans ! Avez-vous donc déjà oublié ce qui est arrivé à frère Gontran ?

Dans la lumière écarlate, les ombres des deux hommes s'étiraient comme des araignées gigantesques. Frère Anthelme ressemblait à une personnification de la terreur : un de ses sourcils s'était haussé presque jusqu'à la racine des cheveux et ses narines frémissaient comme celles d'un cheval face à l'obstacle, tandis que ses longs bras maigres battaient l'air avec frénésie.

— Vous serez donc deux à mourir, cria encore Maurin.

Après avoir saisi le chantre et l'avoir violemment jeté à terre, il se trouvait maintenant face à Colin. La haine qui déformait les traits de l'appareilleur paralysa le jeune garçon d'effroi. Comment un homme qui s'était montré si protecteur, si indulgent, pouvait-il dissimuler autant de cruauté ?

Cependant il se ressaisit. Lui seul, maintenant, pouvait encore sauver la situation. Il ramassa un éclat de pierre et le lança vers Maurin en priant Dieu pour qu'il atteigne son but. Mais Dieu lui semblait bien loin, depuis quelque temps...

Ce ne fut pas Dieu qui le sauva. Ce fut un troisième homme, qui ne ressemblait en rien à l'apothicaire. Il était très grand, très maigre, et son visage était plus impressionnant que jamais : le cracheur de feu !

Il surgit derrière Maurin, une pierre à la main, se précipita en avant, et, d'un coup énergique sur la nuque, assomma l'appareilleur. Celui-ci s'effondra sur lui-même, et presque aussitôt se mit à gémir d'une voix plaintive, la bouche grande ouverte et les yeux révulsés.

— Ne me laissez pas souffrir, je vous en prie... Je veux bien tout avouer, mais ne m'abandonnez pas ! Oui, c'est moi qui ai volé les plans de maître Aurèle, ils sont là, dans mon sac... Je veux bien tout avouer, l'incendie de la maison du chanoine, la chute de Clément, la mort de frère Gontran... C'est moi, aussi, qui ai mis de la poudre de jusquiame[1] dans la coupe de Colin le soir de la fête, je voulais l'empoisonner. J'avoue, mais par pitié, ne me laissez pas mourir ici !

— Vous oubliez les comptes falsifiés, ajouta frère Anthelme. C'est finalement votre cupidité qui vous a perdu ! Si vous n'aviez pas détourné de l'argent du chantier, frère Gontran ne vous aurait jamais soupçonné. Il avait tout découvert et il voulait vous don-

---

1. Mauvaise herbe vénéneuse.

ner une dernière chance de rendre l'argent. La dernière fois que je l'ai vu, il comptait vous parler deux jours plus tard. Mais vous l'avez rencontré par hasard sur le chantier, à une heure où vous y étiez seuls, et quand il vous a averti qu'il vous avait percé à jour, vous l'avez assassiné pour le faire taire. Avouez, Maurin de Livry !

— J'avoue...

Le chantre se tourna vers Colin.

— Heureusement, expliqua-t-il, tout à l'heure en fermant mes volets j'ai vu ce bandit se diriger vers la cathédrale. Quand je me suis rendu compte que tu le suivais, cela m'a inquiété et je n'ai pas perdu une seconde.

— Ayez pitié, geignit encore Maurin de Livry.

Sa voix n'était plus qu'un souffle entre ses lèvres exsangues.

— Je doute fort qu'on puisse le sauver, soupira frère Anthelme. Et après tout qu'il aille au diable !

Mais soudain l'appareilleur, dans un dernier sursaut de haine, redressa la tête et, lançant son bras en avant, agrippa Colin par les jambes en criant :

— Les flammes de l'enfer te dévoreront, tout comme elles ont dévoré ton père !

Colin tenta de se dégager de cette poigne de fer, mais la douleur qui enserrait son tibia blessé le terrassa. Il eut l'impression que les pierres qui les entouraient s'écroulaient dans un vacarme assourdissant et il s'affala sur le sol, inconscient.

28

Il reprit conscience au son de ce refrain que son père lui avait si souvent chanté.

> — *Bien me plaît le gai temps de Pâques,*
> *Qui fait feuilles et fleurs revenir,*
> *Et me plaît ouïr le bonheur*
> *Des oiseaux qui font retentir*
> *Leurs chants par le bocage.*

Le souvenir de sa rencontre terrifiante avec Maurin lui revint brutalement en mémoire. Il crut un instant que l'autre avait finalement eu le dessus et l'avait précipité au pied de la cathédrale. Mais l'infâme appareilleur s'était trompé en le menaçant de l'enfer. En quel autre lieu que le paradis, en effet, eût-il pu entendre la voix de son père ?

Il entrouvrit les yeux et son cœur se serra. Non, sans doute n'était-il pas au paradis, car il lui semblait bien reconnaître le grand lit moelleux de l'apothicaire, dans lequel il avait dormi avec Odon plus d'une semaine auparavant. Une lampe à huile qui brûlait sur une table répandait une odeur de verveine. La voix continuait à fredonner, derrière lui, toute proche. Colin tourna la tête et eut un sursaut de frayeur. L'homme qui chantait dans la pénombre n'avait pas les traits de son père, mais le visage boursouflé du cracheur de feu.

— N'aie pas peur, murmura celui-ci. Me reconnais-tu, Colin ?

Bien sûr, qu'il le reconnaissait ! Mais comment l'autre savait-il qu'il s'appelait Colin ? Par dame Erme-line, probablement.

— Me reconnais-tu ? répéta le cracheur de feu.

Puis il se remit à chanter doucement.

— *Et me plaît quand vois sur les prés*
Tentes et pavillons dressés,
Et j'ai grand allégresse,
Quand vois dans la plaine rangés
Chevaliers et chevaux armés.

À la fin du couplet, il fit le tour du lit pour aller chercher la lampe, qu'il approcha de ses yeux en se penchant vers Colin.

— Si tu ne reconnais pas mon visage, te souviens-tu au moins de mon regard ? demanda-t-il.

Colin le regarda fixement, incrédule.

— C'est impossible ! chuchota-t-il.

Mais il était certain, maintenant. Seul le regard de son père pouvait lui donner cette certitude d'être à l'abri de tout danger.

— Cela ne peut pas être toi, murmura-t-il. Tu es mort !

Un rire joyeux fit s'envoler tous les doutes.

— Tout le monde l'a cru, expliqua maître Aurèle. Et durant quelques jours, j'ai bien été comme mort. Si dame Ermeline ne m'avait pas soigné en secret, peut-être ce soir Maurin de Livry aurait-il commis son dernier crime.

— Mais on a retrouvé ton corps calciné, tu portais ta bague !

— On a retrouvé le corps d'un homme, oui, et qui portait ma bague, parce qu'il me l'avait volée. Cet homme était le frère du proviseur, arrivé en ville l'après-midi précédant l'incendie. Un va-nu-pieds, la honte de la famille, venu demander de l'aide au chanoine. Avant de se rendre rue des Gantiers, il avait fracturé le tronc de la cathédrale et fait main basse sur l'argent. Il avait été pourchassé, s'était réfugié chez le chanoine. Celui-ci avait accepté de le cacher pour la nuit et lui avait promis de lui donner un peu d'argent à condition qu'il parte à l'aube.

— C'est lui qui a mis le feu à la maison ? demanda Colin.

Il ferma de nouveau les yeux pour ne pas voir ce visage atrocement brûlé, à la fois méconnaissable et maintenant presque familier.

— Non, c'est Maurin. Laisse-moi te raconter... J'ignorais sa présence, je ne l'ai appris qu'il y a peu, par frère Gontran lui-même.

— C'est de cela que vous parliez tous les deux, quand Odon vous a vus ensemble ?

— En effet.

— Tu sais qui est Odon ?

— Je connais tout de ta vie ici, grâce à dame Erme-line. Mais ne peux-tu m'écouter sans me couper sans cesse la parole ? Je vois que tu n'as pas changé, mon Colin... Ce soir-là, donc, nous fêtions la Saint-Jean. Quand je suis rentré rue des Gantiers, j'ai tout de suite sombré dans un sommeil de plomb et j'ai passé une nuit affreuse, pleine de cauchemars. Maurin avait pro-bablement mis un poison dans ma coupe... Au matin, quand l'odeur du feu m'a réveillé, j'ai bondi hors de ma chambre et dévalé l'escalier. C'est alors que j'ai entendu un hurlement. J'ai cru que c'était frère Gon-tran, bien sûr, mais j'ai vu apparaître un pauvre hère dont la chevelure hirsute brûlait comme une torche. On a tous les deux bataillé contre les flammes, puis j'ai compris qu'il n'y avait rien à faire et j'ai entraîné l'homme vers la porte la plus proche, qui ouvrait sur le jardin de derrière. Au moment où je la passais, le plafond s'est effondré sur le bonhomme. Quant à moi, j'ai eu l'impression que quelqu'un appliquait des char-bons ardents sur mon visage. Mon désir de vivre a cependant été le plus fort. La rivière était trop loin, j'ai couru jusque chez dame Ermeline, elle seule pouvait me soigner. Sans elle, Colin, je serais peut-être mort dans d'atroces souffrances... Des souffrances, j'en ai connu d'épouvantables, mais du moins j'étais vivant.

Atterré par ce récit, Colin avait le cœur gonflé d'admiration et de compassion pour son père. Mais il ne pouvait oublier les jours et les nuits passés à le pleurer.

— Pourquoi n'es-tu pas revenu à Chartres ? Maman a failli mourir de chagrin, tu n'as donc pas pensé à elle ?

Les yeux de son père brillèrent.

— Je n'ai cessé de penser à vous, mon Colin. Mais je ne voulais pas quitter la région avant d'avoir démasqué l'homme qui avait allumé l'incendie, et dont j'étais certain qu'il avait également volé mes plans pendant mon sommeil. Pour cela, mieux valait qu'il me croie mort. Dès que j'ai été guéri, j'ai quitté Amiens avec une troupe de jongleurs. J'ai lié amitié avec un cracheur de feu qui m'a appris le métier, et alors j'ai décidé de revenir en ville. J'avais le visage si abîmé que personne ne risquait de me reconnaître. Imagine mon inquiétude quand je t'ai vu ! Curieux comme tu l'es, tu n'allais pas tarder à te poser des questions... et à en poser de tous côtés. Je me suis mis à te suivre aussi discrètement que possible, puis tu as rencontré dame Ermeline et elle a pu me tenir au courant de ton enquête.

Colin commençait à être singulièrement agacé d'en-

tendre sans cesse prononcer le nom de dame Ermeline.

— Elle n'a même pas voulu me croire quand je lui
ai dit que tu avais sûrement été assassiné ! s'écria-t-il.

— C'est ce qu'elle a prétendu, parce qu'elle avait
peur pour toi. C'est elle qui m'a averti du piège que
vous comptiez tendre à Maurin. Je me suis douté que
tu irais au rendez-vous, et je crois bien que je suis
arrivé juste à temps.

— Heureusement, car son frère, lui, n'est pas
venu !

— Le malheureux s'est fait attaquer par des malandrins qui l'ont laissé à demi assommé sur la chaussée.
Mais il se remettra, tout comme toi.

— Et frère Gontran ? Savait-il que tu étais vivant ?

— Il ignorait si le corps méconnaissable retrouvé
dans la maison était celui de son frère ou le mien. Il a
longtemps cru que son frère était parvenu à s'enfuir,
mais en me voyant dans les rues il a commencé à se
poser des questions. Il me connaissait bien, tu comprends, et il était très observateur.

— C'est pour cela qu'il changeait de sujet chaque
fois que je parlais de toi !

— Sans doute. Un jour, il s'est décidé à venir me
trouver pour me dire qu'il savait qui j'étais. Il m'a
accusé d'avoir laissé son frère mourir, mais je l'ai
convaincu de ma bonne foi et lui ai fait promettre de
ne pas me trahir tant que je n'aurais pas fait éclater la
vérité.

— Pourquoi Maurin a-t-il commis tous ces crimes ? demanda encore Colin.

Maître Aurèle hocha la tête.

— Orgueil et jalousie sont de terribles vices, Colin. Depuis longtemps j'avais compris qu'on ne pouvait se fier à cet homme. Il trompait bien son monde, mais je me suis toujours refusé à l'accepter comme appareilleur. Il jalousait mon talent, il ne cessait de m'épier, d'essayer de me prendre en faute. Il a sans doute compris que je dessinais les plans d'une église, et l'idée que je puisse devenir maître d'œuvre lui a été insupportable. Qui sait ? Peut-être nourrissait-il l'ambition de le devenir ? À l'heure qu'il est, il comparaît devant Dieu.

— Alors il est mort ?

— Oui. J'espère que le Seigneur se montrera miséricordieux.

La porte s'ouvrit et dame Ermeline apparut.

— C'est l'heure du petit déjeuner, annonça-t-elle joyeusement. Que dirais-tu d'un lait au miel de rose ?

Réchauffé par son doux sourire, Colin sentit s'évanouir tout ressentiment.

— C'est déjà le matin ? s'étonna-t-il. J'ai donc dormi si longtemps ?

— Eh oui, Chétif, il est temps d'aller travailler ! bougonna la grosse voix d'Odon. Qu'est-ce qu'on me raconte ? Tu es monté sur la tour en pleine nuit ?

Le garçon pénétra dans la chambre sur la pointe des pieds, ce qui de sa part était la preuve d'une incroyable prévenance.

— Qui t'a raconté ça, Odieux ? répartit Colin.

Dans la lueur blafarde qui pénétrait dans la chambre, Colin vit s'empourprer le visage de son camarade.

— Colombe est venue me réveiller bien avant le chant du coq.

— Elle a osé ? plaisanta Colin.

Odon s'empressa de parler d'autre chose.

— Si tu ne te lèves pas bientôt, tu vas encore être en retard au chantier.

— Tu dis vrai, renchérit maître Aurèle. Et ce n'est que le début d'une longue journée, car ce soir et les soirs qui suivront, nous allons reprendre les leçons d'architecture. J'ai des plans à terminer, pour lesquels j'ai besoin de ton aide, Colin. Et puis il va te falloir apprendre à lire et à écrire, si tu veux un jour devenir maître d'œuvre.

Colin eut tout à coup la sensation que son sang s'était brusquement remis à couler très vite dans ses veines. Il bondit hors du lit et se jeta dans les bras du cracheur de feu.

Retrouvez les aventures de Colin dans :

LA MALÉDICTION DE LA SAINTE-CHAPELLE

LA MARCHANDE DE LA SAINTE-CHAPELLE

1

Avril 1243

— On dirait le diable ! chuchota Colin.

— Ah oui ? s'esclaffa Guillaume. Tu l'as donc déjà rencontré, le diable, pour savoir à quoi il ressemble ?

— Regarde ses oreilles, elles lui font comme des cornes, insista Colin en montrant du doigt la silhouette massive qui les précédait dans la pénombre.

À la lumière du jour, Thibert en imposait déjà par sa puissante stature et sa démarche lourde. Une musculature aussi impressionnante était bien naturelle chez un homme qui passait ses journées à enfoncer dans la pierre des coins de fer pour détacher d'énormes blocs qu'il fallait ensuite, au prix d'efforts surhumains, hisser à l'air libre à l'aide de treuils et de poulies. Mais sous terre, dans la lueur des torches qui projetait des ombres à l'infini, ses oreilles pointues émergeant de sa chevelure hirsute lui donnaient vraiment l'allure d'une créature des ténèbres.

— Ne traînez pas, gamins, ou l'heure du couvre-feu sera passée ! ronchonna le carrier en se retournant vers eux, sa torche de résine haut levée.

Il bougonnait sans cesse et criait très fort contre les flemmards qui posaient trop souvent leur pic, mais il était toujours prêt à défendre un garçon du chantier qui avait commis quelque bêtise.

Des idées de bêtises, Guillaume en avait autant qu'il y a de jours dans l'année. Puisqu'il était interdit de traîner dans les carrières après la journée de travail, c'était précisément le soir qu'il voulait les visiter. Et bien entendu Thibert avait cédé, d'autant plus volontiers que le jeune Colin Le Joyeux avait joint ses supplications à celles de Guillaume. Comment dire non à un garçon qui portait si bien son nom ?

Le bonhomme les avait donc emmenés dans les carrières du Val de Grâce, hors les murs de Paris au sud de la porte Saint-Jacques. Tout en leur faisant visiter les entrailles de la terre, il leur avait longuement expliqué le travail des carriers.

— On commence par retirer le souchet, c'est-à-dire la partie où la pierre est la plus tendre, à mi-hauteur du front de taille. On y glisse des cales, au-dessus desquelles on délimite des blocs verticaux. Une fois découpés, ils tombent droit sur les cales. On n'a plus alors qu'à les rouler jusqu'au puits d'extraction et à les monter en surface.

Colin écoutait avec attention. Comme son père, le maître tailleur Aurèle Le Blond, Colin rêvait de bâtir un jour *sa* cathédrale. Or un maître d'œuvre[1] devait tout connaître de l'art des bâtisseurs. Colin interrogeait donc sans relâche charpentiers, échafaudeurs, maçons et mortelliers[2], forgerons, couvreurs, tailleurs d'images[3] et peintres imagiers. Et verriers, bien sûr, car, tel le regard éclairant un visage, les vitraux d'une cathédrale sont l'expression de son âme. Colin avait en ce domaine un informateur de choix : son ami Guillaume, dix-huit ans, compagnon verrier depuis trois mois.

Guillaume, lui, ne s'intéressait à rien d'autre qu'à la transparence et à la couleur du verre. La pierre n'était pour lui qu'un écrin pour la lumière ; aussi les carrières ne l'attiraient-elles que pour les lueurs orangées qu'y projetaient les torches, les ombres et les scintillements qui flottaient dans les galeries. Et, plus que tout, parce qu'elles étaient interdites.

— Est-ce que ce n'est pas aussi beau qu'une église ? demanda Thibert en lançant un regard malicieux à Colin.

— Presque, répliqua celui-ci. Comme un caillou ressemble à une relique.

— Allons, on ferait bien de remonter, dit le carrier.

Lorsqu'ils firent volte-face pour rebrousser chemin, Guillaume était invisible.

— On remonte, Guillaume ! cria Colin, persuadé

---

1. Architecte (ce mot n'existait pas au Moyen Âge).
2. Ouvriers qui préparent le mortier.
3. Sculpteurs.

3

que son ami se cachait tout près, dissimulé derrière un pilier.

Mais nulle part il n'aperçut la chevelure rousse du jeune verrier. Il s'approcha d'une vaste ouverture sombre qui débouchait sans doute dans une autre salle.

— Je doute que ton ami se soit risqué seul dans l'obscurité, protesta Thibert.

— Vous ne le connaissez pas ! rétorqua Colin.

Thibert le rejoignit en pestant.

— Je vous avais pourtant recommandé…

Un long hurlement l'interrompit net, qui semblait provenir de toutes les directions à la fois. Colin fit un bond et agrippa la cotte[1] du carrier.

— C'était quoi ? On aurait cru des loups !

— Des loups dans ma carrière ? Que j'aille en enfer si on en trouve un seul ! C'est l'écho qui produit cet effet.

— Mais l'écho de quoi ? Un cri pareil, ça ne peut venir que de l'autre monde !

— Sors de ta cachette, bougre d'âne ! cria Thibert en se dirigeant vers le fond de la deuxième salle. Ou ma torche va te griller tes trois misérables poils de barbe !

Des pierres roulèrent, à trois pas derrière Colin. Avant même qu'il ait eu le temps de se retourner, une masse fondit sur lui avec un hurlement effroyable.

---

1. Tunique à manches qui se porte par-dessus la chainse. La chainse est une sorte de chemise, en toile (pour les plus pauvres) ou en lin (pour les plus riches).

Il reconnut aussitôt Guillaume à ses cheveux de feu.

— Tu n'as donc aucun sens du danger ? tempêta le carrier en revenant vers les deux garçons.

— Quel danger ? crâna Guillaume. Si on ne peut même plus faire des blagues…

— Quel danger ? répéta le carrier. Venez voir, tous les deux.

Il les poussa vers le fond de la salle, où s'ouvrait un étroit couloir.

— Vas-y, si tu t'en sens le courage ! dit-il à Guillaume. Mais je te conseille d'emporter une pleine outre de petits cailloux et de les semer derrière toi. Parce qu'à moins de dix toises[1] ce couloir se divise en deux, et, quel que soit celui que tu choisiras, il se divisera lui aussi en deux si ce n'est en trois. Tu n'auras pas parcouru cinquante toises que tu ne sauras plus où tu es.

— En continuant toujours tout droit, je finirai bien par dénicher une sortie !

— Pour sûr. Et sais-tu où tu te trouveras ?

Guillaume haussa les épaules.

— Il y a mille possibilités, répartit le carrier. Sous terre, on perd la notion de la direction comme celle du temps. Tu seras à deux pas des caves de l'abbaye de Saint-Victor, ou bien à la porte Saint-Jacques. Il se peut aussi que tu aies parcouru un grand cercle sans même t'en rendre compte, et alors tu te seras

---

1. 1 toise = 6 pieds = 1,86 m.

éloigné de Paris, vers Montrouge ou la butte aux Cailles. Ou, pire, dans les oubliettes du château Vauvert, et alors je ne donne pas cher de ta peau si les hôtes de l'endroit mettent la main sur toi.

Guillaume blêmit.

— Vauvert ? On peut y aller depuis les carrières ?

— As-tu déjà observé une fourmilière ? C'est à cela que ressemble le sous-sol de Paris. De carrières en caves, on peut parcourir toute la ville et ses faubourgs. Voilà pourquoi je vous interdis de revenir ici sans chaperon. Maintenant, on remonte.

Les deux garçons emboîtèrent le pas à Thibert.

— C'est où, Vauvert ? demanda Colin. Qu'est-ce que cet endroit a de si effrayant ?

— Vauvert n'est pas bien loin d'ici, dans un endroit où poussait autrefois la vigne, répondit le carrier. Il y a très longtemps, un roi a été excommunié pour avoir épousé sa cousine. Fort mal vu de ses sujets, il s'est fait construire un château en dehors de Paris[1]. Après sa mort, le château a été abandonné et personne n'a jamais osé y habiter. Il était maudit, tu comprends ! Mais les brigands n'ont peur ni de Dieu ni du diable. Ils s'y sont installés, bien tranquilles que nul n'oserait jamais les déloger.

— Benoît s'en est approché avec ses amis étudiants, ajouta Guillaume. Il a entendu des gémissements comme ne peuvent en pousser que des âmes damnées.

---

1. Il s'agit du roi Robert II (972-1031). Vauvert se trouvait au sud de l'actuel jardin du Luxembourg.

Thibert s'esclaffa.

— Ce Benoît n'est qu'un niais. Les gémissements d'outre-tombe, ce sont les malandrins qui les poussent pour effrayer les poltrons.

— Benoît est étudiant médecin, rétorqua Guillaume. Il en faut beaucoup pour l'abuser !

— Alors il s'est joué de toi. Les médecins mentent comme des arracheurs de dents, c'est bien connu.

Vexé, Guillaume n'ouvrit plus la bouche jusqu'à la sortie.

Colin ne savait trop que penser. Benoît et ses amis adoraient jouer des tours pendables. Habiles à éviter les sergents du guet, ils passaient des nuits à parcourir les rues en effrayant les gens par des cris épouvantables. Ils attrapaient des rats puis se glissaient dans les maisons par les caves pour les enfermer dans les garde-manger. Une nuit, les paroissiens de Saint-Séverin avaient été tirés de leur sommeil par les cloches sonnant à toute volée. Le temps que les chanoines se réveillent, les étudiants étaient loin. Le lendemain matin, les premiers fidèles entrés dans l'église avaient eu le front et la cotte noircis par l'encre dont on avait rempli les bénitiers.

Comparé à ces frasques, prétendre avoir entendu des gémissements était de la roupie de sansonnet. Cependant, même pour une bourse gonflée de pièces d'argent, Colin ne se serait pas risqué près de Vauvert.

— Bougre de bougre ! Je le savais !

Ils venaient de sortir à l'air libre, pour constater que la lumière du jour n'était plus qu'un lointain souvenir. Complies[1] devaient être récitées depuis long-temps, les portes de la ville étaient fermées et les sergents du guet à pied d'œuvre.

— On va devoir redescendre, décréta le carrier. À moins que vous n'ayez de quoi vous payer une nuit dans une auberge hors les murs ?

Les deux garçons n'avaient pas un denier.

— Alors en route !

Thibert n'avait pas menti. On pouvait parcourir des lieues sous terre, à condition de parvenir à se faufiler dans des galeries parfois à peine plus larges que la porte d'un tabernacle. C'était relativement facile pour les deux garçons, beaucoup moins pour un homme de la corpulence du carrier. Il débita tous les jurons qu'il connaissait et finit même par en inventer.

— Diantre de bougre ! Cornabidouille ! Mordia-ble ! Coquebert[2] et Coquefredouille ! Bave d'arai-gnée ! Crotte de mouche et crachat de basilic[3] !

Heureusement, il connaissait aussi bien le sous-sol parisien que son répertoire de jurons, et savait à quel endroit passer sous le mur d'enceinte. Moins d'une heure plus tard, un passant s'attardant aux abords de l'église Saint-Jacques-de-la-Boucherie aurait pu voir trois têtes blanches de poussière émerger d'une cave toute proche de l'église. Et quiconque demeurant rue des Lavandières se serait penché à sa fenêtre aurait remarqué un homme aux larges épaules s'engouffrant

---

1. Le dernier office du soir.
2. Nigaud.
3. Petit serpent mortel.

8

dans une maison après avoir dit adieu à ses deux compagnons – un rouquin tout près d'être un homme, et un garçon aux cheveux bruns et bouclés qui redressait les épaules pour paraître aussi grand que son ami. Mais, à pareille heure, ne veillaient plus que quelques artisans en retard dans leur travail, qui avaient obtenu l'autorisation exceptionnelle de garder une chandelle allumée.

Colin et Guillaume n'étaient cependant pas tout à fait les seuls à traîner dans les rues…

— Les sergents du guet ! souffla Colin. Misère de nous !

2

Trois sergents faisaient les cent pas dans la rue Quincampoix. La rue, précisément, où Colin et son père louaient une chambre à un marchand de draps.

— Si on est pris, on est bons pour une nuit au Châtelet[1].

— Plutôt me jeter dans la Seine ! répondit Guillaume. Allons chez moi.

La rue Brisemiche, où demeurait le compagnon verrier, était à moins de deux minutes en marchant vite. Mais les sergents du guet avaient l'œil vif et le jarret preste.

— Ils nous ont repérés ! lança Colin en entendant résonner le pavé derrière eux.

Les deux garçons prirent leurs jambes à leur cou en direction de l'église Saint-Merri, aussitôt pour-

---

1. Siège de la police, où se trouvait également la prison.

suivis par les sergents. Ils s'engouffrèrent dans une venelle[1] sentant l'eau croupie, s'y enfoncèrent le plus loin qu'ils purent et se collèrent contre le mur. La lueur des torches était de plus en plus vive.

— Ils sont sûrement là-dedans ! cria soudain un des sergents en avançant sa torche vers l'entrée de la venelle.

— Rendez-vous, marauds ! cria un autre.

— À moins d'un miracle, on est morts, chuchota Guillaume.

Colin ne croyait guère aux miracles, et pourtant... Tout près d'eux, une porte grinça.

— Hep ! Par ici !

D'un bond, les deux garçons s'engouffrèrent dans la maison, dont la porte se referma aussitôt.

La pièce minuscule où ils venaient d'échouer était encombrée par un incroyable amoncellement d'objets divers : bourses crevées, carafes cabossées, haillons empilés en tas informes, outils aussi rouillés que s'ils avaient été ramassés dans le caniveau. Dans un coin, une paillasse dégageait une odeur suspecte. Quant à l'homme qui regardait les deux garçons sous le nez en tenant devant lui un bout de cierge sans doute volé dans une église, il était à peu près aussi rassurant qu'une gargouille[2] : un œil regardant vers Senlis et

---

1. Une ruelle.
2. Gouttière horizontale permettant d'éviter que les eaux de pluies ruissellent le long des murs. Au Moyen Âge, elles étaient le plus souvent sculptées et représentaient pour la plupart des créatures fantastiques.

l'autre vers Orléans, le nez aussi long et pointu qu'un panais[1], les dents, au nombre de trois, de la couleur d'un radis noir. Et, avec cela, la tête couverte d'un bonnet de nuit crasseux et une haleine à tuer les mouches.

— Timothée ! s'écria Colin.

Tous ceux qui travaillaient sur le chantier de la Sainte-Chapelle connaissaient le vieux gagne-denier[2], car il y rendait de menus services en échange de quelques pièces. Guillaume avait même passé une nuit avec lui au Châtelet en compagnie des rats et des araignées. Le jeune verrier y avait été enfermé avec ses copains étudiants pour cause de tapage nocturne, et Timothée parce qu'il avait crié « merde au roi ! » en sortant d'une taverne où il avait forcé sur le cidre.

— On dirait que vous avez des ennuis, chuchota le bonhomme en bâillant à se décrocher la mâchoire.

— C'est ici que tu habites ? fit Guillaume d'une voix étouffée.

— Comme tu vois, c'est là mon château ! Et j'y suis heureux comme un pape. Pas de femme pour m'empoisonner la vie, pas d'enfant pour me pousser dans la tombe... la liberté, sapristi ! Je suis comme les petits oiseaux, me nourrissant de ce que le bon

---

1. Légume ayant la forme d'une carotte très large à sa base.
2. Miséreux qui survit en faisant des commissions ou de petits travaux pour les personnes aisées, ou en revendant des aliments ou des objets de la vie courante.

Dieu met sur mon chemin. Tiens, regarde ce que j'ai trouvé aujourd'hui !

Approchant la chandelle de sa poitrine, le vieux bonhomme extirpa de sous sa chainse[1] l'affique[2] qu'il avait accroché à son cou. C'était une petite plaque de plomb sur laquelle était gravée une licorne.

— Avec ça, je ne crains ni Dieu ni diable, ajouta-t-il. Ça peut servir, par les temps qui courent.

Il baissa la voix, jeta un regard apeuré vers la porte et fit un signe de croix.

— Pas plus tard qu'hier, la boutique de l'enlumineur de la rue de la Sellerie y a eu droit !

Colin comprit tout de suite à quoi le vieux bonhomme faisait allusion. Depuis quelques semaines, des signes mystérieux apparaissaient de temps à autre sur les murs : des symboles inconnus des bons chrétiens, des figures géométriques, des chiffres, tracés pendant la nuit avec un morceau de bois calciné.

— Des blagues d'étudiants ! affirma Colin pour tenter de s'en convaincre.

Les yeux de Timothée se mirent à danser la sarabande et ses doigts se crispèrent sur la petite licorne.

— Que non, les marques ne sont pas tracées par une main humaine, dit-il dans un souffle. Écoutez bien ça, tous les deux… Une nuit, j'ai entendu gémir dans la ruelle, à quinze pas d'ici. On aurait dit un

---

1. Voir note p. 12.
2. Petit bijou décoratif.

enfant effrayé ou affamé. Est-ce que je pouvais me rendormir comme un sans-cœur ? Je suis sorti, je me suis approché de l'endroit d'où venaient les gémissements. On les entendait toujours, aussi sûr que je m'appelle Timothée, et pourtant il n'y avait personne, ni marmot ni animal ! Et quand j'ai levé ma chandelle, j'ai vu les signes sur le mur de la maison de Lubin, le tonnelier.

— Ils y étaient peut-être depuis plusieurs jours, suggéra Colin en frissonnant.

Le vieux crève-la-faim lui prit le menton et le regarda fixement.

— Je te jure bien, mon Corbeau, que les signes n'y étaient pas la veille. Et moins d'une semaine plus tard, le bébé de Lubin est mort d'un coup, sans raison.

— Des bébés, il en meurt tous les jours, intervint Guillaume.

— Tu oublies le chien enragé qui s'est attaqué à la fille du maçon de la rue des Lombards. Trois jours avant, sa maison avait eu droit aux signes… Les signes de la malédiction !

— Vous croyez vraiment à une malédiction ? interrogea Colin.

— Tu as une autre explication ? répondit Timothée.

— Alors ce n'est pas une malheureuse licorne en plomb qui vous protégera, fit remarquer Guillaume.

— Détrompe-toi, mon garçon ! Peut-être même qu'elle va m'apporter la richesse !

Guillaume haussa les épaules.

— S'il suffisait d'accrocher un affique à son cou pour devenir riche, je vendrais ma cotte pour m'en procurer un ! Riche, j'aurais des chances d'obtenir la main de Bertille.

— Bertille ?

— La fille de Jean L'Angoisseux, le maître verrier, précisa Colin. Guillaume pense à elle jour et nuit.

— La fille de ton patron ! s'esclaffa le vieux bonhomme. Par ma foi, tu n'as peur de rien !... Bon, sans vouloir vous chasser, mes jolis, je suis malade à en crever, j'ai rendu tripes et boyaux pas plus tard qu'il y a un quart d'heure... ça me plairait bien de retourner sur ma paillasse.

Le vieux bonhomme avait en effet le teint jaune comme un coing et semblait tenir à peine debout.

Il se traîna jusqu'à la porte pour y coller son oreille.

— Qui est plus couard qu'un sergent du guet ? ricana-t-il. Trois sergents du guet ! Ils n'ont même pas osé s'aventurer jusqu'ici ! Vous pouvez aller tranquilles, ils doivent être déjà rentrés se réchauffer au Châtelet.

Les deux garçons regagnèrent la rue des Lombards en rasant les murs.

— Quel numéro, ce Timothée ! chuchota Colin. Et puis il m'énerve, à m'appeler *mon Corbeau* !

— C'est à cause de la couleur de tes cheveux. Il faut toujours qu'il donne des sobriquets à tout le monde. Tu sais comment il appelle Thibert ? *Maigrichon* ! Quel bouffon !... Bon, on se voit demain matin.

Colin courut comme un lièvre jusqu'à la rue Quincampoix. Arrivé devant la maison du drapier, il prit la clé accrochée à sa ceinture et ouvrit la porte avec mille précautions. À peine avait-il franchi le seuil que des pas précipités résonnèrent sur le trottoir et qu'une poigne de fer s'abattit sur son épaule.

3

— Vas-tu me dire pourquoi tu rentres si tard ?

Colin reconnut avec soulagement la voix de son père. Il expliqua en bafouillant que Thibert lui avait fait visiter les carrières et qu'ils avaient laissé passer l'heure du couvre-feu.

— Avoue plutôt que tu étais avec Guillaume et ces bougres d'étudiants qui traînent jusqu'à matines[1] et dorment ensuite jusqu'à none[2] ! Je t'ai déjà dit que je ne voulais pas te voir t'encanailler avec eux !

— Mais je n'étais pas avec les étudiants ! protesta Colin.

Il se mordit les lèvres pour ne pas demander à son père pour quelle raison il se trouvait lui aussi dehors.

— Il est grand temps de dormir si on veut être à

---

1. Premier office du jour (vers deux heures du matin).
2. Office du début de l'après-midi (vers quatorze heures).

l'heure au chantier demain, décréta le maître tailleur de pierre en grimpant à l'étage.

Père et fils se déshabillèrent en silence, accrochèrent leurs vêtements à la perche fixée près du lit et se glissèrent sous la couverture.

— Dors bien, mon Colin, fit tout de même maître Aurèle en se tournant vers le mur.

Colin ne répondit pas. Il était aussi fâché de s'être laissé prendre qu'en colère contre son père.

Celui-ci avait bien changé depuis leurs retrouvailles, un an auparavant. À Amiens, après avoir failli mourir brûlé dans un incendie, maître Aurèle avait erré aux alentours de la cathédrale des mois durant, défiguré et méconnaissable, exerçant l'activité de cracheur de feu, dans l'espoir de démasquer l'assassin qui avait tenté de le tuer. Mais c'était Colin qui avait réussi à confondre le meurtrier. C'était grâce à Colin, aussi, que maître Aurèle avait retrouvé les plans de la Sainte-Chapelle qu'il comptait proposer au roi. Trop tard, hélas, car Louis IX avait déjà porté son choix sur le projet de Thomas de Cormont, le premier maître d'œuvre d'Amiens[1].

— Des églises, il s'en construira d'autres, avait décrété le maître tailleur. Ce qui m'importe, maintenant, c'est que tu apprennes à lire et à écrire. Je veux aussi t'enseigner la géométrie et l'art du trait. Je ne deviendrai sans doute jamais maître d'œuvre, mais je n'aurai aucun regret si, toi, tu y réussis !

---

1. Voir *Le Secret de la cathédrale* (Hachette, Livre de Poche Jeunesse, 2006).

Colin, qui partageait le rêve de son père, n'avait pas rechigné. Durant tout l'été et jusqu'à l'entrée de l'hiver, il avait travaillé sur le chantier le jour et étudié le soir. Peu avant la Noël de 1242, le bruit avait couru que le maître tailleur de la Sainte-Chapelle était atteint d'une maladie des poumons et qu'on cherchait un remplaçant. Maître Aurèle s'était aussitôt mis en route avec Colin, certain de se faire embaucher car il avait très bien connu Thomas de Cormont et s'en savait apprécié.

Une semaine plus tard, ils étaient à Paris. Le maître d'œuvre les avait reçus à bras ouverts.

Le travail n'était pas nouveau pour Colin, et le rythme des journées semblable à celui qu'il avait connu en Picardie. On se levait à l'aube, à sept heures on était à pied d'œuvre. L'angélus de midi sonnait l'heure du repas pris en commun, après quoi le temps s'étirait jusqu'à l'angélus du soir. Hormis les dimanches et les jours chômés, chaque jour était pareil à celui d'avant et à celui d'après, quel que soit le temps, quelle que soit la fatigue.

Mais Amiens n'était qu'un bourg à côté de Paris ! Colin n'avait de sa vie vu une ville aussi grande. *Des villes* aussi grandes, avait-il plutôt envie de dire, car qu'y avait-il de commun entre les halles gigantesques où des étals de bouchers par dizaines côtoyaient des montagnes de foin, et les rues de la rive gauche où on croisait des étudiants et des professeurs parlant latin ? On trouvait tout, à Paris : un fleuve et des îles, des vignes et des troupeaux, des léproseries, des bains de vapeur, un évêque et même un roi. Colin adorait

Paris, mais cette ville l'effrayait car tout y était possible, le pire comme le meilleur.

Le meilleur, c'était cette Sainte-Chapelle qui abriterait les reliques du Christ achetées par Louis IX à Constantinople. Un chef-d'œuvre de beauté, de légèreté, de clarté, de transparence, un prodige d'harmonie auquel Colin était fier de travailler.

Le pire, c'était les malades couverts de plaies qui s'agrippaient à vous en quémandant une pièce, les femmes bizarrement attifées qui vous accostaient le soir, cherchant à vous entraîner dans des bouges obscurs. Et, surtout, ces signes mystérieux qui depuis peu fleurissaient sur les murs…

Sans compter l'humeur sombre de maître Aurèle et ses emportements soudains. Étaient-ce les épreuves qui avaient aigri son caractère ? Était-ce d'être séparé depuis si longtemps de la mère de Colin, parce qu'il n'y avait pas de travail pour lui à Chartres ? Pourquoi n'était-il plus le père tendre et drôle que Colin avait connu ? Pourquoi ne pouvait-on devenir un homme sans devoir lutter contre son propre père ?

4

Au matin, Colin quitta la maison avant même que son père ait fini de s'habiller. Le couple de drapiers qui les logeait disposait toujours sur la table de la salle de quoi tenir les deux tailleurs de pierre jusqu'à l'angélus. Colin se contenta de quelques gorgées de bière et d'une tranche de pain qu'il avala en chemin. Par la rue des Lombards, il gagna le pont aux Meuniers qui conduisait au chantier. C'était un des moments de la journée qu'il préférait. Il avait l'impression de respirer l'âme de Paris. La Seine était comme le sang répandant la vie, et le chantier, dans l'enceinte du Palais royal, en était le cœur.

Dès qu'il arriva dans la rue de la Barillerie, il fut entraîné par le flot des ouvriers qui allaient se regrouper par corps de métier. Les mortelliers commençaient déjà à retirer les grandes toiles disposées la veille au soir sur les auges de mortier, les maçons vérifiaient leurs outils – truelle, niveau et fil à plomb –, les charpentiers se penchaient sur la découpe d'un cintre[1]. Les verriers travaillaient un peu à l'écart, dans le vaste atelier que dirigeait Jean L'Angoisseux. On était encore loin de poser les premiers vitraux, aussi œuvraient-ils paisiblement aux grandes verrières qui seraient comme le point d'orgue d'une musique sublime.

Colin n'eut pas le loisir d'aller parler à Guillaume, car son père arriva quelques instants après lui et il fallut se mettre aussitôt à l'ouvrage.

— Il en fait une tête d'enterrement, aujourd'hui, le maître ! souffla Zacharie.

Zacharie était le plus âgé des compagnons tailleurs. Il avait des oreilles aussi grandes que des écuelles et une bouche immense.

— C'est contre moi qu'il en a, expliqua Colin, maussade. Pour ne pas le fâcher, il faudrait que je rentre chaque soir aussitôt la dernière bouchée avalée et que j'étudie une partie de la nuit. On ne devrait jamais travailler sur le même chantier que son père !

Le compagnon, qui savait Colin très attaché à la Sainte-Chapelle, lui suggéra avec un clin d'œil malicieux :

— Tu n'as qu'à aller voir à Notre-Dame. Ils sont en train de construire des chapelles sur les bas-côtés. Tu pourrais te faire embaucher, si tu es si malheureux ici.

— Je ne suis pas malheureux, protesta le jeune tailleur de pierre. Mais entre mon père qui a toujours l'air soucieux et mon ami qui désespère…

---

1. Forme courbe, en bois, qui maintient un arc en place jusqu'à ce que le mortier soit sec.

— L'amour est une douce maladie.

— Tu sais donc ce qui ronge Guillaume ?

Zacharie éclata de rire.

— Qui ne le saurait ! Il le raconte à qui veut l'entendre. Il ferait mieux d'oublier la jolie Bertille, il n'a pas la moindre chance de l'épousailler. Jean l'Angoisseux a promis à sa femme de la marier à Sisbert, le fils de son amie d'enfance.

— Je sais. Sisbert est étudiant en théologie, il est sérieux comme un évêque et drôle comme le carême. Bertille ne peut tout de même pas aimer ce bonnet de nuit !

— Et alors ? On n'a pas toujours besoin d'amour pour se marier. Elle ne voudra pas décevoir son père, et tu connais Jean L'Angoisseux… Regarde-le ! A-t-il la tête de quelqu'un qui trahit une promesse ?

Le visage pâle du maître verrier se profilait justement à l'entrée du chantier. Sérieux comme un évêque et drôle comme le carême, lui aussi ! Il ne nourrissait que trois passions : la pratique de son art, la mémoire de son épouse adorée, morte après avoir donné naissance à Bertille, et l'éducation de la jeune fille, qui était la prunelle de ses yeux. Le père de Colin le connaissait, car tous deux avaient travaillé sur le chantier de Chartres. C'était d'ailleurs à cette époque que le maître verrier s'était trouvé veuf. Depuis lors, il consacrait jours et nuits à la recherche d'un bleu encore plus admirable que le célèbre bleu de Chartres, un bleu plus pur que le saphir, plus intense que la turquoise, plus riche que le lapis : le bleu des yeux de sa défunte compagne. Il avait obtenu l'exemption du couvre-feu et souvent, dans la cave de sa maison de la rue de la Limace, une lumière brillait jusqu'à l'aube. Tout le monde l'estimait, mais bien peu osaient l'approcher.

— En plus, c'est bientôt l'anniversaire de la mort de sa femme, dit Colin.

— Alors conseille à ton ami de se tenir à distance. À moins de faire boire au maître un philtre qui brouille la mémoire…

— Cela n'existe pas !

La grande bouche de Zacharie se fendit jusqu'aux oreilles.

— Qui sait ? La vieille Mélisende a des philtres pour tout. On dit même qu'elle voit l'avenir. À défaut d'endormir la mémoire de Jean L'Angoisseux, elle pourrait détourner l'amour de ton ami vers une fille moins inaccessible.

On ne savait jamais si Zacharie parlait sérieusement. Pourtant cette Mélisende devait bien exister puisqu'il ajouta :

— Elle habite rue de la Levrette, dans une masure accolée à la boutique d'un cordonnier.

— Tu es déjà allé la voir ? demanda Colin.

— Comme tout le monde ici, répliqua le compagnon. Je voulais qu'elle me raccourcisse les oreilles.

Colin haussa les épaules.

— Tu te moques !

— Je m'en voudrais ! Et figure-toi que son philtre a été efficace : il y a moins d'un an, mon gars, mes oreilles étaient si longues que je me prenais les pieds dedans.

C'était bien du Zacharie ! Pourtant, Colin se promit de parler de Mélisende à Guillaume. Qui sait si elle ne pourrait pas l'aider ?

Pour se faire pardonner son retour tardif de la veille, il travailla avec acharnement et fut le dernier à suivre ses camarades au repas de midi. Juste avant la reprise, il rejoignit son ami à la table des verriers et lui rapporta ce que lui avait dit Zacharie.

— Mélisende ? s'exclama Guillaume. Jamais je n'irai voir cette sorcière ! Benoît et ses amis y sont allés, ils m'ont dit qu'elle sentait le fromage.

Colin retourna auprès des tailleurs de pierre à la fois dépité et rassuré. L'idée d'envoyer Guillaume chez une femme aussi inquiétante ne lui plaisait guère, mais cela lui faisait peine de voir son ami poursuivre un rêve impossible.

— Tu appelles cela un angle droit ? gronda une voix derrière lui.

Colin se retourna. Son père avait la mine sévère d'un chanoine qui vient de surprendre un novice s'empiffrant de gâteaux un Vendredi saint.

— Frapper comme un sourd est inutile si tu ne diriges pas correctement ton ciseau. Je me demande si je pourrai te faire travailler dans la chapelle haute.

De plain-pied avec les appartements royaux, le premier étage de la Sainte-Chapelle serait réservé au roi et à ses proches, et c'était là qu'on exposerait les reliques.

— Pardon, je pensais à autre chose, admit Colin. Je regrette, pour hier soir. Mais je t'assure que j'étais *vraiment* avec Thibert dans les carrières, et non à faire des bêtises avec les étudiants !

— C'est bon, Colin, je ne suis plus fâché. Je m'étais inquiété, tu comprends ?

Colin reprit maillet et ciseau sans oser rétorquer à son père qu'il n'avait pu avoir le loisir de s'inquiéter, puisque lui aussi se trouvait dehors.

Le Livre de Poche s'engage pour l'environnement en réduisant l'empreinte carbone de ses livres. Celle de cet exemplaire est de : 250 g éq. CO_2 Rendez-vous sur www.livredepoche-durable.fr

PAPIER À BASE DE
FIBRES CERTIFIÉES

« Pour l'éditeur, le principe est d'utiliser des papiers composés de fibres naturelles, renouvelables, recyclables et fabriquées à partir de bois issus de forêts qui adoptent un système d'aménagement durable. En outre, l'éditeur attend de ses fournisseurs de papier qu'ils s'inscrivent dans une démarche de certification environnementale reconnue. »

Édité par la Librairie Générale Française - LPJ
(58 rue Jean Bleuzen, 92178 Vanves Cedex)

Composition PCA
Achevé d'imprimer en Espagne par CPI
Dépôt légal 1re publication septembre 2014
70.0002.2/03 - ISBN : 978-2-01-001581-6
Loi n° 49-956 du 16 juillet 1949 sur les publications destinées à la jeunesse
Dépôt légal : juillet 2016